PABLO NERUDA
(1904-1973)

RICARDO NEFTALÍ REYES BASOALTO nasceu na cidade chilena de Parral, em 12 de julho de 1904. Sua mãe era professora e morreu logo após o nascimento do filho. Seu pai, que era ferroviário, mudou-se para a cidade de Temuco, onde se casou novamente. Ricardo passou a infância perto de florestas, em meio à natureza virgem, o que marcaria para sempre seu imaginário, refletindo-se na sua obra literária.

Com treze anos, começou a contribuir com alguns textos para o jornal *La Montaña*. Foi em 1920 que surgiu o pseudônimo Pablo Neruda – uma homenagem ao poeta tchecoslovaco Jan Neruda. Vários dos poemas desse período estão presentes em *Crepusculário*, o primeiro livro do poeta, publicado em 1923.

Além das suas atividades literárias, Neruda estudou francês e pedagogia na Universidade do Chile. No período de 1927 a 1935, trabalhou como diplomata, vivendo em Burma, Sri Lanka, Java, Cingapura, Buenos Aires, Barcelona e Madri. Em 1930, casou-se com María Antonieta Hagenaar, de quem se divorciaria em 1936. Em 1955, conheceu Mathilde Urrutia, com quem ficaria até o final da vida.

Em meio às turbulências políticas do período entre-guerras, publicou o livro que marcaria um novo período em sua obra, *Residência na terra* (1933). Em 1936, o estouro da Guerra Civil Espanhola e o assassinato de García Lorca aproximaram o poeta chileno dos republicanos espanhóis, e ele acabou destituído de seu cargo consular. Em 1943, voltou ao Chile, e, em 1945 foi eleito senador da república, filiando-se ao partido comunista chileno. Teve de viver clandestinamente em seu próprio país por dois anos, até exilar-se, em 1949. Um ano depois foi publicado no México e clandestinamente no Chile o livro *Canto geral*. Além de ser o título mais célebre esia

telúrica que exalta poderosamente toda a vida do Novo Mundo, denuncia a impostura dos conquistadores e a tristeza dos povos explorados, expressando um grito de fraternidade através de imagens poderosas.

Após viver em diversos países, Neruda voltou ao Chile em 1952. Muito do que ele escreveu nesse tempo tem profundas marcas políticas, como é o caso de *As uvas e o vento* (1954), que pode ser considerado o diário de exílio do poeta. Em 1971, Pablo Neruda recebeu a honraria máxima para um escritor, o Prêmio Nobel de Literatura. Morreu em Santiago do Chile, em 23 de setembro de 1973, apenas alguns dias após o golpe militar que depusera da presidência do país o seu amigo Salvador Allende.

Livros do autor na Coleção **L&PM** POCKET:

A barcarola
Cantos cerimoniais (Edição bilíngue)
Cem sonetos de amor
O coração amarelo (Edição bilíngue)
Crepusculário (Edição bilíngue)
Defeitos escolhidos & 2000 (Edição bilíngue)
Elegia (Edição bilíngue)
Jardim de inverno (Edição bilíngue)
Livro das perguntas (Edição bilíngue)
Memorial de Isla Negra
Residência na terra I (Edição bilíngue)
Residência na terra II (Edição bilíngue)
A rosa separada (Edição bilíngue)
Terceira residência (Edição bilíngue)
Últimos poemas (Edição bilíngue)
As uvas e o vento
Vinte poemas de amor e uma canção desesperada (Edição bilíngue)

PABLO NERUDA

RESIDÊNCIA NA TERRA II
(1931-1935)

Tradução de Paulo Mendes Campos

EDIÇÃO BILÍNGUE

www.lpm.com.br

Coleção **L&PM** POCKET, vol. 380

Texto de acordo com a nova ortografia
Título do original espanhol: *Residencia en la Terra II*

Primeira edição na Coleção **L&PM** POCKET: setembro de 2004
Esta reimpressão: fevereiro de 2025

Capa: Ivan Pinheiro Machado. *Ilustração*: "Three Musicians", Pablo Picasso (1921)
Tradução: Paulo Mendes Campos
Revisão: Suely Bastos e Renato Deitos

N454r   Neruda, Pablo, 1904-1973.
          Residência na terra II / Neftalí Ricardo Reyes; tradução
      de Paulo Mendes Campos. – Porto Alegre: L&PM, 2025
      144 p. ; 18 cm. – (Coleção L&PM POCKET)

         Nota: Edição bilíngue: espanhol-português.
         ISBN 978-85-254-1342-0

         1.Literatura chilena-poesias. 2.Reyes, Neftalí Ricardo,
      1904-1973. I.Título. II.Série.

                              CDD Ch861
                              CDU 821.134.2(83)-1

Catalogação elaborada por Izabel A. Merlo, CRB 10/329

© Fundación Pablo Neruda, 1933

Todos os direitos desta edição reservados a L&PM Editores
Rua Comendador Coruja, 314, loja 9 – Floresta – 90.220-180
Porto Alegre – RS – Brasil / Fone: 51.3225.5777

Pedidos & Depto. Comercial: vendas@lpm.com.br
Fale conosco: info@lpm.com.br
www.lpm.com.br

Impresso no Brasil
Verão de 2025

SUMÁRIO

I
Un día sobresale 8
Um dia sobressai 9
Sólo la muerte 14
Só a morte 15
Barcarola 18
Barcarola 19
El sur del océano 24
O sul do oceano 25

II
Walking around 32
Walking around 33
Desespediente 36
Desexpediente 37
La calle destruida 40
A rua destruída 41
Melancolía en las familias 44
Melancolia nas famílias 45
Maternidad 48
Maternidade 49
Enfermedades en mi casa 52
Doenças na minha casa 53

III
Oda con un lamento 60
Ode com um lamento 61
Material nupcial 64
Matéria nupcial 65

Agua sexual..68
Água sexual..69

IV – TRES CANTOS MATERIALES.....................................74
IV – TRÊS CANTOS MATERIAIS..75
Entrada a la madera 76
Entrada na madeira 77
Apogeo del apio 80
Apogeu do aipo 81
Estatuto del vino 84
Estatuto do vinho 85

V
Oda a Federico García Lorca 94
Ode a Federico García Lorca 95
Alberto Rojas Jiménez viene volando 104
Alberto Rojas Jiménez vem voando 105
El desenterrado 112
O desenterrado 113

VI
El reloj caído en el mar 120
O relógio caído no mar 121
Vuelve el otoño 124
Volta o outono 125
No hay olvido 128
Não há esquecimento 129
Josie Bliss 132
Josie Bliss 133

I

UN DÍA SOBRESALE

De lo sonoro salen números,
números moribundos y cifras con estiércol,
rayos humedecidos y relámpagos sucios.
De lo sonoro, creciendo, cuando
la noche sale sola, como reciente viuda,
como paloma o amapola o beso,
y sus maravillosas estrellas se dilatan.

En lo sonoro la luz se verifica:
las vocales se inundan, el llanto cae en pétalos,
un viento de sonido como una ola retumba,
brilla y peces de frío y elástico la habitan.

Peces en el sonido, lentos, agudos, húmedos,
arqueadas masas de oro con gotas en la cola,
tiburones de escama y espuma temblorosa,
salmones azulados de congelados ojos.

Herramientas que caen, carretas de legumbres,
rumores de racimos aplastados,
violines llenos de agua, detonaciones frescas,
motores sumergidos y polvorienta sombra,
fábricas, besos,
botellas palpitantes,
gargantas,
en torno a mí la noche suena,
el día, el mes, el tiempo,

UM DIA SOBRESSAI

Do sonoro saem os números,
números moribundos e cifras com esterco,
raios umedecidos e relâmpagos sujos.
Do sonoro, crescendo, quando
a noite sai sozinha, como recente viúva,
como pomba ou papoula ou beijo,
e suas maravilhosas estrelas se dilatam.

No sonoro a luz se verifica:
as vogais se inundam, o pranto cai em pétalas,
um vento de som como onda reboa,
brilha, e peixes de frio e elástico a habitam.

Peixes no som, lentos, agudos, úmidos,
arqueadas massas de ouro com gotas na cauda,
tubarões de escama e espuma trêmula,
salmões azulados de congelados olhos.

Ferramentas que caem, carroças de legumes,
rumores de cachos esmagados,
violinos cheios de água, detonações frescas,
motores submersos e poeirenta sombra,
fábricas, beijos,
garrafas palpitantes,
gargantas,
em torno de mim a noite soa,
o dia, o mês, o tempo,

sonando como sacos de campanas mojadas
o pavorosas bocas de sales quebradizas.

Olas del mar, derrumbes,
uñas, pasos del mar,
arrolladas corrientes de animales deshechos,
pitazos en la niebla ronca
deciden los sonidos de la dulce aurora
despertando en el mar abandonado.

A lo sonoro el alma rueda
cayendo desde sueños,
rodeada aún por sus palomas negras,
todavía forrada por sus trapos de ausencia.

A lo sonoro el alma acude
y sus bodas veloces celebra y precipita.

Cáscaras del silencio, de azul turbio,
como frascos de oscuras farmacias clausuradas,
silencio envuelto en pelo,
silencio galopando en caballos sin patas
y máquinas dormidas, y velas sin atmósfera,
y trenes de jazmín desalentado y cera,
y agobiados buques llenos de sombras y sombreros.

Desde el silencio sube el alma
con rosas instantáneas,
y en la mañana del día se desploma,
y se ahoga de bruces en la luz que suena.

soando como sacos de sinos molhados
ou pavorosas bocas de sais quebradiços.

Ondas do mar, despenhadeiros,
unhas, passos do mar,
enroladas correntes de animais desfeitos,
silvos na névoa rouca
decidem os sons da doce aurora
despertando no mar abandonado.

Para o sonoro a alma rola
caindo de sonhos,
cercada ainda por suas pombas negras,
ainda forrada por seus trapos de ausência.

Ao sonoro a alma acorre
e suas bodas velozes celebra e precipita.

Cascas do silêncio, de azul turvo,
como frascos de escuras farmácias clausuradas,
silêncio envolto em cabelo,
silêncio galopando em cavalos sem patas
e máquinas adormecidas, e velas sem atmosfera,
e trens de jasmim desalentado e cera,
e angustiados navios cheios de sombras e sombreiros.

Do silêncio sobe a alma
com rosas instantâneas,
e na manhã do dia tomba,
e se afoga de bruços na luz que soa.

Zapatos bruscos, bestias, utensilios,
olas de gallos duros derramándose,
relojes trabajando como estómagos secos,
ruedas desenrollándose en rieles abatidos,
y water-closets blancos despertando
con ojos de madera, como palomas tuertas,
y sus gargantas anegadas
suenan de pronto como cataratas.

Ved cómo se levantan los párpados del moho
y se desencadena la cerradura roja
y la guirnalda desarrolla sus asuntos,
cosas que crecen,
los puentes aplastados por los grandes tranvías
rechinan como camas con amores,
la noche ha abierto sus puertas de piano:
como un caballo el día corre en sus tribunales.

De lo sonoro sale el día
de aumento y grado,
y también de moletas cortadas y cortinas,
de extensiones, de sombra recién huyendo
y gotas que del corazón del cielo
caen como sangre celeste.

Sapatos bruscos, bestas, utensílios,
ondas de galos duros se derramando,
relógios trabalhando como estômagos secos,
rodas se desenrolando em trilhos abatidos,
e *water-closets* brancos acordando
com olhos de madeiras, como pombas caolhas,
e suas gargantas inundadas
soam de repente como cataratas.

Vê como se levantam as pálpebras do mofo
e se desata a fechadura vermelha
e a grinalda desenrola os seus assuntos,
coisas que crescem,
as pontes esmagadas pelos grandes bondes
rangem feito camas com amores,
a noite abriu suas portas de piano:
como um cavalo o dia corre nos seus tribunais.

Do sonoro sai o dia
de aumento e grau,
e também de violetas cortadas e cortinas,
de extensões, de sombra recém-fugindo
e gotas que do coração do céu
caem como sangue celeste.

SÓLO LA MUERTE

*Hay cementerios solos,
tumbas llenas de huesos sin sonido,
el corazón pasando un túnel
oscuro, oscuro, oscuro,
como un naufragio hacia adentro nos morimos,
como ahogarnos en el corazón,
como irnos cayendo desde la piel al alma.*

*Hay cadáveres,
hay pies de pegajosa losa fría,
hay la muerte en los huesos,
como un sonido puro,
como un ladrido sin perro,
saliendo de ciertas campanas, de ciertas tumbas,
creciendo en la humedad como el llanto o la lluvia.*

*Yo veo, solo, a veces,
ataúdes a vela
zarpar con difuntos pálidos, con mujeres de trenzas
        muertas,
con panaderos blancos como ángeles,
con niñas pensativas casadas con notarios,
ataúdes subiendo el río vertical de los muertos,
el río morado,
hacia arriba, con las velas hinchadas por el sonido de la
        muerte,
hinchadas por el sonido silencioso de la muerte.*

SÓ A MORTE

Há cemitérios sós,
tumbas cheias de ossos sem som,
o coração passando um túnel
escuro, escuro, escuro,
como um naufrágio para dentro nós morremos,
como afogar-nos no coração,
como irmos caindo da pele à alma.

Há cadáveres,
há pés de pegajosa laje fria,
há a morre nos ossos,
como um som puro,
como um latido sem cão,
saindo de certos sinos, de certas tumbas,
crescendo na umidade como o pranto ou a chuva.

Eu vejo, só, às vezes,
ataúdes a vela
zarpar com defuntos pálidos, com mulheres de tranças
        mortas,
com padeiros brancos como anjos,
com meninas pensativas casadas com notários,
ataúdes subindo o rio vertical dos mortos,
o rio roxo,
para cima, com as velas infladas pelo som da morte,
infladas pelo silencioso som da morte.

*A lo sonoro llega la muerte
como un zapato sin pie, como un traje sin hombre,
llega a golpear con un anillo sin piedra y sin dedo,
llega a gritar sin boca, sin lengua, sin garganta.*

*Sin embargo sus pasos suenan
y su vestido suena, callado como un árbol.*

*Yo no sé, yo conozco poco, yo apenas veo,
pero creo que su canto tiene color de violetas húmedas, de
violetas acostumbradas a la tierra,
porque la cara de la muerte es verde,
y la mirada de la muerte es verde,
con la aguda humedad de una hoja de violeta
y su grave color de invierno exasperado.*

*Pero la muerte va también por el mundo vestida de
    escoba,
lame el suelo buscando difuntos;
la muerte está en la escoba,
es la lengua de la muerte buscando muertos,
es la aguja de la muerte buscando hilo.*

*La muerte está en los catres:
en los colchones lentos, en las frazadas negras
vive tendida, y de repente sopla:
sopla un sonido oscuro que hincha sábanas,
y hay camas navegando a un puerto
en donde está esperando, vestida de almirante.*

*Ao sonoro chega a morte
como um sapato sem pé, como um traje sem homem,
chega a bater como um anel sem pedra e sem dedo,
chega a gritar sem boca, sem língua, sem garganta.*

*No entanto suas passadas soam
e sua veste soa, calada como uma árvore.*

*Eu não sei, eu conheço pouco, eu apenas vejo,
porém creio que seu canto tem cor de violetas úmidas, de
violetas acostumadas à terra,
porque a cara da morte é verde,
e o olhar da morte é verde,
com a aguda umidade duma folha de violeta
e sua grave cor de inverno exasperado.*

*Mas a morte vai também pelo mundo vestida de
    vassoura,
lambe o chão buscando defuntos;
a morte está na vassoura,
é a língua da morte procurando mortos,
é a agulha da morte procurando fio.*

*A morte está nos catres:
nos colchões lentos, nos cobertores negros
vive estendida, e de repente sopra:
sopra um som escuro que infla lençóis,
e há camas navegando para um porto
onde está esperando, vestida de almirante.*

BARCAROLA

Si solamente me tocaras el corazón,
si solamente pusieras tu boca en mi corazón,
tu fina boca, tus dientes,
si pusieras tu lengua como una flecha roja
allí donde mi corazón polvoriento golpea,
si soplaras en mi corazón, cerca del mar, llorando,
sonaría con un ruido oscuro, con sonido de ruedas de
       tren con sueño,
como aguas vacilantes,
como el otoño en hojas,
como sangre,
con un ruido de llamas húmedas quemando el cielo,
sonando como sueños o ramas o lluvias,
o bocinas de puerto triste,
si tú soplaras en mi corazón, cerca del mar,
como un fantasma blanco,
al borde de la espuma,
en mitad del viento,
como un fantasma desencadenado, a la orilla del mar,
       llorando.

Como ausencia extendida, como campana súbita,
el mar reparte el sonido del corazón,
lloviendo, atardeciendo, en una costa sola:
la noche cae sin duda,
y su lúgubre azul de estandarte en naufragio
se puebla de planetas de plata enronquecida.

BARCAROLA

Se apenas me tocasses o coração,
se apenas pusesses a tua boca no meu coração,
tua fina boca, teus dentes,
se pusesses tua língua como flecha rubra
aí onde bate meu coração empoeirado,
se soprasses no meu coração, perto do mar, chorando,
ressoaria como um ruído escuro, com um som de
      rodas de trem com sono,
como águas vacilantes,
como o outono em folhas,
como sangue,
com um ruído de chamas úmidas queimando o céu,
ressoando como sonhos ou ramagens ou chuvas,
ou sirenes de porto triste,
se soprasses no meu coração, perto do mar,
como um fantasma branco,
na beira da espuma,
na metade do vento,
como um fantasma desacorrentado, à beira-mar,
      chorando.

Como ausência estendida, como sino súbito,
o mar reparte o som do coração,
chovendo, entardecendo, numa costa solitária:
a noite cai decerto,
e o seu lúgubre azul de estandarte em naufrágio
povoa-se de planetas de prata enrouquecida.

Y suena el corazón como un caracol agrio,
llama, oh mar, oh lamento, oh derretido espanto
esparcido en desgracias y olas desvencijadas:
de lo sonoro el mar acusa
sus sombras recostadas, sus amapolas verdes.

Si existieras de pronto, en una costa lúgubre,
rodeada por el día muerto,
frente a una nueva noche,
llena de olas,
y soplaras en mi corazón de miedo frío,
soplaras en la sangre sola de mi corazón,
soplaras en su movimiento de paloma con llamas,
sonarían sus negras sílabas de sangre,
crecerían sus incesantes aguas rojas,
y sonaría, sonaría a sombras,
sonaría como la muerte,
llamaría como un tubo lleno de viento o llanto,
o una botella echando espanto a borbotones.

Así es, y los relámpagos cubrirían tus trenzas
y la lluvia entraría por tus ojos abiertos
a preparar el llanto que sordamente encierras,
y las alas negras del mar girarían en torno
de ti, con grandes garras, y graznidos, y vuelos.

Quieres ser el fantasma que sople, solitario,
cerca del mar su estéril, triste instrumento?
Si solamente llamaras,
su prolongado son, su maléfico pito,

E ressoa o coração como um caracol azedo,
chama, oh mar, oh lamento, oh derretido espanto
esparzido em desgraças e ondas desatadas:
do sonoro o mar acusa
as suas sombras recostadas, suas papoulas verdes.

Se existisses de repente, numa costa lúgubre,
cercada pelo dia morto,
diante duma nova noite,
cheia de ondas,
e soprasses no meu coração de medo frio,
soprasses no sangue solitário do meu coração,
soprasses no seu movimento de pomba em chamas,
ressoariam suas negras sílabas de sangue,
cresceriam suas incessantes águas vermelhas,
e ressoaria, soaria a sombras,
ressoaria feito a morte,
chamaria como um tubo cheio de vento ou pranto,
ou uma garrafa lançando espanto a borbotões.

Assim é, e os relâmpagos cobririam as tuas tranças
e a chuva entraria pelos teus olhos abertos
para preparar o pranto que surdamente encerras,
e as asas negras do mar girariam em torno
de ti, com grandes garras, e grasnidos, e voos.

Queres ser o fantasma que sopre, solitário,
perto do mar o seu estéril, triste instrumento?
Se apenas chamasses,
seu prolongado som, seu maléfico apito,

su orden de olas heridas,
alguien vendría acaso,
alguien vendría,
desde las cimas de las islas, desde el fondo rojo del mar,
alguien vendría, alguien vendría.

Alguien vendría, sopla con furia,
que suene como sirena de barco roto,
como lamento,
como un relincho en medio de la espuma y la sangre
como un agua feroz mordiéndose y sonando.

En la estación marina
su caracol de sombra circula como un grito,
los pájaros del mar lo desestiman y huyen,
sus listas de sonido, sus lúgubres barrotes
se levantan a orillas del océano solo.

sua ordem de ondas feridas,
alguém viria talvez,
alguém viria,
dos cimos das ilhas, do fundo vermelho do mar,
alguém viria, alguém viria.

Alguém viria, sopra com fúria,
que ressoe como sirene de navio destroçado,
como lamento,
como um relincho no meio da espuma e do sangue
como água feroz se mordendo e ressoando.

Na estação marinha
o seu caracol de sombra circula como um grito,
os pássaros do mar o desestimam e fogem,
suas tiras de som, suas lúgubres cancelas
se levantam à beira do oceano solitário.

EL SUR DEL OCÉANO

*De consumida sal y garganta en peligro
están hechas las rosas del océano solo,
el agua rota sin embargo,
y pájaros temibles,
y no hay sino la noche acompañada
del día, y el día acompañado
de un refugio, de una
pezuña, del silencio.*

*En el silencio crece el viento
con su hoja única y su flor golpeada,
y la arena que tiene sólo tacto y silencio,
no es nada, es una sombra,
una pisada de caballo vago,
no es nada sino una ola que el tiempo ha recibido,
porque todas las aguas van a los ojos fríos
del tiempo que debajo del océano mira.*

*Ya sus ojos han muerto de agua muerta y palomas,
y son dos agujeros de latitud amarga
por donde entran los peces de ensangrentados dientes
y las ballenas buscando esmeraldas,
y esqueletos de pálidos caballeros deshechos
por las lentas medusas, y además
varias asociaciones de arrayán venenoso,
manos aisladas, flechas,
revólveres de escama,*

O SUL DO OCEANO

*De consumido sal e garganta em perigo
estão feitas as rosas do oceano solitário,
a água roda no entanto,
e pássaros temíveis,
e não há mais do que a noite acompanhada
do dia, e o dia acompanhado
dum refúgio, duma
úngula, do silêncio.*

*No silêncio cresce o vento
com sua folha única e sua flor golpeada,
e a areia que tem apenas tato e silêncio,
não é nada, é uma sombra,
uma pisada de cavalo errante,
não é nada, só uma onda que o tempo recebeu,
pois todas as águas vão aos olhos frios
do tempo que debaixo do oceano espia.*

*Já seus olhos morreram de água morta e pombas,
e são duas covas de latitude amarga
por onde entram os peixes de ensanguentados dentes
e as baleias procurando esmeraldas,
e esqueletos de pálidos cavaleiros desfeitos
pelas lentas medusas, e ainda
várias associações de murta venenosa,
mãos isoladas, flechas,
revólveres de escama,*

interminablemente corren por sus mejillas
y devoran sus ojos de sal destituida.

Cuando la luna entrega sus naufragios,
sus cajones, sus muertos
cubiertos de amapolas masculinas,
cuando en el saco de la luna caen
los trajes sepultados en el mar
con sus largos tormentos, sus barbas derribadas,
sus cabezas que el agua y el orgullo pidieron para
           siempre,
en la extensión se oyen caer rodillas
hacia el fondo del mar traídas por la luna
en su saco de piedra gastado por las lágrimas
y por las mordeduras de pescados siniestros.

Es verdad, es la luna descendiendo
con crueles sacudidas de esponja, es, sin embargo,
la luna tambaleando entre las madrigueras,
la luna carcomida por los gritos del agua,
los vientres de la luna, sus escamas
de acero despedido: y desde entonces
al final del Océano desciende,
azul y azul, atravesada por azules,
ciegos azules de materia ciega,
arrastrando su cargamento corrompido,
buzos, maderas, dedos,
pescadora de la sangre que en las cimas del mar
ha sido derramada por grandes desventuras.

*interminavelmente correm por suas faces
e devoram seus olhos de sal destituído.*

*Quando a lua entrega os seus naufrágios,
seus caixotes, seus mortos
cobertos de papoulas masculinas,
quando caem no saco da lua
os trajes sepultados no mar
com seus longos tormentos, suas barbas demolidas,
suas cabeças que a água e o orgulho pediram para
        sempre,
na extensão se ouvem cair joelhos
para o fundo do mar trazidos pela lua
no seu saco de pedra gasto pelas lágrimas
e pelas mordidas de peixes sinistros.*

*É verdade, é a lua descendo
com cruéis sacudidas de esponja, é, no entanto,
a lua cambaleando entre as tocas,
a lua carcomida pelos gritos da água,
os ventres da lua, suas escamas
de aço desprendido: e desde então
no final do oceano desce,
azul e azul, atravessada por azuis,
cegos azuis de matéria cega,
arrastando o seu carregamento corrompido,
mergulhadores, madeiras, dedos,
pescadora do sangue que nos cimos do mar
foi derramado por grandes desventuras.*

*Pero hablo de una orilla, es allí donde azota
el mar con furia y las olas golpean
los muros de ceniza. Qué es esto? Es una sombra?
No es la sombra, es la arena de la triste república,
es un sistema de algas, hay alas, hay
un picotazo en el pecho del cielo:
oh superficie herida por las olas,
oh manantial del mar,
si la lluvia asegura tus secretos, si el viento interminable
mata los pájaros, si solamente el cielo,
sólo quiero morder tus costas y morirme,
sólo quiero mirar la boca de las piedras
por donde los secretos salen llenos de espuma.*

*Es una región sola, ya he hablado
de esta región tan sola,
donde la tierra está llena de océano,
y no hay nadie sino unas huellas de caballo,
no hay nadie sino el viento, no hay nadie
sino la lluvia que cae sobre las aguas del mar,
nadie sino la lluvia que crece sobre el mar.*

*Mas eu falo duma praia, é lá onde chicote
o mar com fúria e as ondas golpeiam
os muros de cinza. Que é isto? É uma sombra?
Não é a sombra, é a areia da triste república,
é um sistema de algas, há asas, há
uma bicada no peito do céu:
Oh superfície ferida pelas ondas,
oh manancial do mar,
se a chuva assegura os teus segredos, se o vento interminável
mata os pássaros, se apenas o céu,
quero só morder as tuas margens e morrer,
quero só olhar a boca das pedras
por onde os segredos saem cheios de espuma.*

*É uma região só, já tenho falado
desta região tão só,
onde a terra está cheia de oceano,
e não há ninguém, a não ser umas pegadas de cavalo,
não há ninguém, a não ser o vento, não há ninguém,
a não ser a chuva que tomba sobre as águas do mar,
ninguém, a não ser a chuva que cresce sobre o mar.*

II

WALKING AROUND

Sucede que me canso de ser hombre.
Sucede que entro en las sastrerías y en los cines
marchito, impenetrable, como un cisne de fieltro
navegando en un agua de origen y ceniza.

El olor de las peluquerías me hace llorar a gritos.
Sólo quiero un descanso de piedras o de lana,
sólo quiero no ver establecimientos ni jardines,
ni mercaderías, ni anteojos, ni ascensores.

Sucede que me canso de mis pies y mis uñas
y mi pelo y mi sombra.
Sucede que me canso de ser hombre.

Sin embargo sería delicioso
asustar a un notario con un lirio cortado
o dar muerte a una monja con un golpe de oreja.
Seria bello
ir por las calles con un cuchillo verde
y dando gritos hasta morir de frío.

No quiero seguir siendo raíz en las tinieblas,
vacilante, extendido, tiritando de sueño,
hacia abajo, en las tripas mojadas de la tierra,
absorbiendo y pensando, comiendo cada día.

No quiero para mi tantas desgracias.
No quiero continuar de raíz y de tumba,

WALKING AROUND

Acontece que me canso de ser homem.
Acontece que entro nas alfaiatarias e nos cinemas
murcho, impenetrável, como um cisne de feltro
navegando numa água de origem e cinza.

O cheiro das barbearias me faz chorar aos gritos.
Só quero um descanso de pedras ou de lã,
só quero não ver mais estabelecimentos nem jardins,
nem mercadorias, nem óculos, nem elevadores.

Acontece que me canso dos meus pés e das minhas unhas
e do meu cabelo e da minha sombra.
Acontece que me canso de ser homem.

No entanto seria delicioso
assustar um notário com um lírio cortado
ou dar a morte a uma freira com um golpe de orelha.
Seria belo
ir pelas ruas com uma faca verde
e dando gritos até morrer de frio.

Não quero continuar sendo raiz nas trevas,
vacilante, estendido, tiritando de sono,
para baixo, nas tripas molhadas da terra,
absorvendo e pensando, comendo cada dia.

Não quero para mim tantas desgraças.
Não quero continuar de raiz e túmulo,

de subterráneo solo, de bodega con muertos,
aterido, muriéndome de pena.

Por eso el día lunes arde como el petróleo
cuando me ve llegar con mi cara de cárcel,
y aúlla en su transcurso como una rueda herida,
y da pasos de sangre caliente hacia la noche.

Y me empuja a ciertos rincones, a ciertas casas
        húmedas,
a hospitales donde los huesos salen por la ventana,
a ciertas zapaterías con olor a vinagre,
a calles espantosas como grietas.

Hay pájaros de color de azufre y horribles intestinos
colgando de las puertas de las casas que odio,
hay dentaduras olvidadas en tina cafetera,
hay espejos
que debieran haber llorado de vergüenza y espanto,
hay paraguas en todas partes, y venenos, y ombligos.

Yo paseo con calma, con ojos, con zapatos,
con furia, con olvido,
paso, cruzo oficinas y tiendas de ortopedia,
y patios donde hay ropas colgadas de un alambre:
calzoncillos, toallas y camisas que lloran
lentas lágrimas sucias.

de subterrâneo solitário, de adega com mortos,
transido, morrendo de pena.

Por isso a segunda-feira arde como o petróleo
quando me vê chegar com a minha cara de cárcere,
e uiva no seu transcurso como roda ferida,
e dá passos de sangue quente para a noite.

E me empurra para certos recantos, para certas casas
　　　　úmidas,
para hospitais de onde os ossos saem pela janela,
para certas sapatarias com cheiro de vinagre,
para ruas horríveis como gretas.

Há pássaros cor de enxofre e horríveis intestinos
pendurados nas portas das casas que odeio, há
dentaduras esquecidas numa cafeteira,
há espelhos
que deviam ter chorado de vergonha e espanto,
há guarda-chuvas por todas as partes, e venenos e
　　　　umbigos.

Eu passeio com calma, com olhos, com sapatos,
com fúria, com esquecimento,
passo, cruzo escritórios e lojas de ortopedia,
e pátios onde há roupas penduradas dum arame:
cuecas, toalhas e camisas que choram
lentas lágrimas sujas.

DESESPEDIENTE

La paloma está llena de papeles caídos,
su pecho está manchado por gomas y semanas,
por secantes más blancos que un cadáver
y tintas asustadas de su color siniestro.

Ven conmigo a la sombra de las administraciones,
al débil, delicado color pálido de los jefes,
a los túneles profundos como calendarios,
a la doliente rueda de mil páginas.

Examinemos ahora los títulos y las condiciones,
las actas especiales, los desvelos,
las demandas con sus dientes de otoño nauseabundo,
la furia de cenicientos destinos y tristes decisiones.

Es un relato de huesos heridos,
amargas circunstancias e interminables trajes,
y medias repentinamente serias.

Es la noche profunda, la cabeza sin venas
de donde cae el día de repente
como de una botella rota por un relámpago.

Son los pies y los relojes y los dedos
y una locomotora de jabón moribundo,
y un agrio cielo de metal mojado,
y un amarillo río de sonrisas.

DESEXPEDIENTE

A POMBA está cheia de papéis caídos,
seu peito está manchado por borrachas e semanas,
de mata-borrões mais brancos que um cadáver
e tintas assustadas com sua cor sinistra.

Vem comigo para a sombra das administrações,
para a débil, delicada cor pálida dos chefes,
para os túneis profundos como calendários,
para a dolorida roda de mil páginas.

Examinemos agora os títulos e as condições,
e as atas especiais, os desvelos,
as demandas com seus dentes de outono nauseabundo,
a fúria de cinzentos destinos e tristes decisões.

É um relato de ossos feridos,
amargas circunstâncias e intermináveis trajes,
e meias repentinamente sérias.

É a noite profunda, a cabeça sem veias
de onde cai o dia de repente
como duma garrafa partida por um relâmpago.

São os pés e os relógios e os dedos
e uma locomotiva de sabão moribundo,
é um céu azedo de metal molhado,
é um amarelo rio de sorrisos.

Todo llega a la punta de dedos como flores,
y uñas como relámpagos, a sillones marchitos,
todo llega a la tinta de la muerte
y a la boca violeta de los timbres.

Lloremos la defunción de la tierra y el fuego,
las espadas, las uvas,
los sexos con sus duros dominios de raíces,
las naves del alcohol navegando entre naves
y el perfume que baila de noche, de rodillas,
arrastrando un planeta de rosas perforadas.

Con un traje de perro y una mancha en la frente
caigamos a la profundidad de los papeles,
a la ira de las palabras encadenadas,
a manifestaciones tenazmente difuntas,
a sistemas envueltos en amarillas hojas.

Rodad conmigo a las oficinas, al incierto
olor de ministerios, y tumbas, y estampillas.
Venid conmigo al día blanco que se muere
dando gritos de novia asesinada.

Tudo chega à ponta de dedos como flores,
e unhas como relâmpagos, a poltronas murchas,
tudo chega à tinta da morte
e à boca violeta dos carimbos.

Choremos a defunção da terra e do fogo,
as espadas, as uvas,
os sexos com seus duros domínios de raízes,
as naus do álcool navegando entre naus
e o perfume que dança de noite, de joelhos,
arrastando um planeta de rosas perfuradas.

Com roupa de cachorro e mancha na fronte
vamos cair na profundidade dos papéis,
na ira das palavras acorrentadas,
nas manifestações tenazmente defuntas,
nos sistemas embrulhados em amarelas folhas.

Rodai comigo pelos escritórios, ao incerto
cheiro de ministérios e túmulos, e estampilhas.
Vinde comigo ao dia branco que morre
dando gritos de noiva assassinada.

LA CALLE DESTRUIDA

Por el hierro injuriado, por los ojos del yeso
pasa una lengua de años diferentes
del tiempo. Es una cola
de ásperas crines, unas manos de piedra llenas de ira,
y el color de las casas enmudece, y estallan
las decisiones de la arquitectura,
un pie terrible ensucia los balcones:
con lentitud, con sombra acumulada,
con máscaras mordidas de invierno y lentitud,
se pasean los días de alta frente
entre casas sin luna.

El agua y la costumbre y el lodo blanco
que la estrella despide, y en especial
el aire que las campanas han golpeado con furia
gastan las cosas, tocan
las ruedas, se detienen en las cigarrerías,
y crece el pelo rojo en las cornisas
como un largo lamento, mientras a lo profundo
caen llaves, relojes,
flores asimiladas al olvido.

Dónde está la violeta recién parida? Dónde
la corbata y el virginal céfiro rojo?
Sobre las poblaciones
una lengua de polvo podrido se adelanta
rompiendo anillos, royendo pintura,
haciendo aullar sin voz las sillas negras,

A RUA DESTRUÍDA

Pelo ferro injuriado, pelos olhos do gesso
passa uma língua de anos diferentes
do tempo. É uma cauda
de ásperas crinas, umas mãos de pedra cheias de ira,
e a cor das casas emudece, e estalam
as decisões da arquitetura,
um pé terrível enxovalha as sacadas:
com lentidão, com sombra acumulada,
com máscaras mordidas de inverno e lentidão,
passeiam os dias de alta fronte
entre casas sem lua.

A água e o costume e o lodo branco
que a estrela desprende, e especialmente
o ar que os sinos têm golpeado com fúria
gastam as coisas, tocam
as rodas, detêm-se nas tabacarias,
e cresce o cabelo vermelho nas cornijas
como um longo lamento, enquanto na profundeza
tombam chaves, relógios,
flores assimiladas no esquecimento.

Onde está a violeta recém-parida?
Onde a gravata e o virginal zéfiro rubro?
Sobre as povoações
uma língua de pó apodrecido se adianta
a romper anéis, a roer pintura,
fazendo uivar sem voz as cadeiras negras,

cubriendo los florones del cemento, los baluartes
de metal destrozado,
el jardín y la lana, las ampliaciones de fotografías ardientes
heridas por la lluvia, la sed de las alcobas, y los grandes
        carteles de los cines en donde luchan
la pantera y el trueno,
las lanzas del geranio, los almacenes llenos de miel perdida,
la tos, los trajes de tejido brillante,
todo se cubre de un sabor mortal
a retroceso y humedad y herida.

Tal vez las conversaciones anudadas, el roce de los cuerpos,
la virtud de las fatigadas señoras que anidan en el humo,
los tomates asesinados implacablemente,
el paso de los caballos de un triste regimiento,
la luz, la presión de muchos dedos sin nombre
gastan la fibra plana de la cal,
rodean de aire neutro las fachadas
como cuchillos: mientras
el aire del peligro roe las circunstancias,
los ladrillos, la sal se derraman como aguas
y los carros de gordos ejes tambalean.

Ola de rosas rotas y agujeros! Futuro
de la vena olorosa! Objetos sin piedad!
Nadie circule! Nadie abra los brazos
dentro del agua ciega!
Oh movimiento, oh nombre malherido,
oh cucharada de viento confuso
y color azotado! Oh herida en donde caen
hasta morir las guitarras azules!

cobrindo os florões do cimento, os baluartes
de metal destroçado,
o jardim e a lã, as ampliações de fotografias ardentes
feridas pela chuva, a sede das alcovas, e os grandes
       cartazes dos cinemas onde lutam
a pantera e o trovão,
as lanças do gerânio, os armazéns cheios de mel perdido,
a tosse, as roupas de tecido brilhante,
tudo se cobre dum sabor mortal
de retrocesso e umidade e ferida

Talvez as conversações atadas, o roçar dos corpos,
a virtude das fatigadas senhoras que se aninham na fumaça,
os tomates assassinados implacavelmente,
a passagem dos cavalos dum triste regimento,
a luz, a pressão de muitos dedos sem nome
gastam a fibra plana da cal,
cercam de ar neutro as fachadas
feito facas: enquanto
o ar do perigo rói as circunstâncias,
os ladrilhos, o sal derramam-se como águas
e as carroças de gordos eixos cambaleiam.

Onda de rosas rotas e buracos! Futuro
da veia olorosa! Objetos sem piedade!
Ninguém circule! Ninguém abra os braços
dentro da água cega!
Oh movimento, o nome malferido,
oh colherada de vento confuso
e cor açoitada! Oh ferida onde tombam
até morrer as guitarras azuis!

MELANCOLÍA EN LAS FAMILIAS

Conservo un frasco azul,
dentro de él una oreja y un retrato:
cuando la noche obliga
a las plumas del buho,
cuando el ronco cerezo
se destroza los labios y amenaza
con cáscaras que el viento del océano a menudo perfora,
yo sé que hay grandes extensiones hundidas,
cuarzo en lingotes,
cieno,
aguas azules para una batalla,
mucho silencio, muchas
vetas de retrocesos y alcanfores,
cosas caídas, medallas, ternuras,
paracaídas, besos.

No es sino el paso de un día hacia otro,
una sola botella andando por los mares,
y un comedor adonde llegan rosas,
un comedor abandonado
como una espina: me refiero
a una copa trizada, a una cortina, al fondo
de una sala desierta por donde pasa un río
arrastrando las piedras. Es una casa
situada en los cimientos de la lluvia,
una casa de dos pisos con ventanas obligatorias
y enredaderas estrictamente fieles.

MELANCOLIA NAS FAMÍLIAS

Conservo um frasco azul,
dentro dele uma orelha e um retrato:
quando a noite obriga
às penas do mocho,
quando a rouca cerejeira
destroça os lábios e ameaça
com cascas que o vento do oceano com frequência perfura,
eu sei que há grandes extensões afundadas,
quartzo em lingotes,
lodo,
águas azuis para uma batalha,
muito silêncio, muitos
veios de retrocesso e cânforas,
coisas caídas, medalhas, ternuras,
paraquedas, beijos.

Não é mais que a passagem dum dia para o outro,
uma só garrafa andando pelos mares,
e um refeitório onde chegam rosas,
um refeitório abandonado
como um espinho: refiro-me
a uma taça despedaçada, a uma cortina, ao fundo
duma sala deserta por onde passa um rio
a arrastar as pedras. É uma casa
situada nos cimentos da chuva,
uma casa de dois pavimentos com janelas obrigatórias
e trepadeiras estritamente fiéis.

Voy por la tardes, llego
lleno de lodo y muerte,
arrastrando la tierra y sus raíces,
y su vaga barriga en donde duermen
cadáveres con trigo,
metales, elefantes derrumbados.

Pero por sobre todo hay un terrible,
un terrible comedor abandonado,
con las alcuzas rotas
y el vinagre corriendo debajo de las sillas,
un rayo detenido de la luna,
algo oscuro, y me busco
una comparación dentro de mí:
tal vez es una tienda rodeada por el mar
y paños goteando salmuera.
Es sólo un comedor abandonado,
y alrededor hay extensiones,
fábricas sumergidas, maderas
que sólo yo conozco,
porque estoy triste y viajo,
y conozco la tierra, y estoy triste

Vou pelas tardes,
chego cheio de lodo e morte,
arrastando a terra e as suas raízes,
e sua barriga vazia onde dormem
cadáveres com trigo,
metais, elefantes derrubados.

Há sobretudo porém um terrível,
um terrível refeitório abandonado,
com as galhetas quebradas
e o vinagre escorrendo debaixo das cadeiras,
um raio detido da lua,
algo obscuro, e procuro
uma comparação dentro de mim:
é talvez uma tenda rodeada pelo mar
e panos rasgados a gotejar salmoura.
É só um refeitório abandonado,
e em redor há extensões,
fábricas submersas, madeiras
que só eu conheço,
porque estou triste e viajo,
e conheço a terra, e estou triste.

MATERNIDAD

*Por qué te precipitas hacia la maternidad y verificas
tu ácido oscuro con gramos a menudo fatales?
El porvenir de las rosas ha llegado! El tiempo
de la red y el relámpago! Las suaves peticiones
de las hojas perdidamente alimentadas!
Un río roto en desmesura
recorre habitaciones y canastos
infundiendo pasiones y desgracias
con su pesado líquido y su golpe de gotas.*

*Se trata de una súbita estación
que puebla ciertos huesos, ciertas manos,
ciertos trajes marinos.*

*Y ya que su destello hace variar las rosas
dándoles pan y piedras y rocío,
ah madre oscura, ven,
con una máscara en la mano izquierda
y con los brazos llenos de sollozos.*

*Por corredores donde nadie ha muerto
quiero que pases, por un mar sin peces,
sin escamas, sin náufragos,
por un hotel sin pasos,
por un túnel sin humo.*

*Es para ti este mundo en que no nace nadie,
en que no existen*

MATERNIDADE

*Por que te precipitas para a maternidade e verificas
o teu ácido escuro com gramas frequentemente fatais?
O porvir das rosas é chegado! O tempo
da rede e do relâmpago! As suaves petições
das folhas perdidamente alimentadas!
Um rio rompido em desmesura
percorre quartos e canastros
infundindo paixões e desgraças
com o seu pesado líquido e o seu golpe de gotas.*

*Trata-se duma súbita estação
que povoa certos ossos, certas mãos,
certos trajes marinhos.*

*E já que o seu clarão faz variar as rosas
dando-lhes pão e pedras e rocio,
oh mãe escura, vem,
com uma máscara na mão esquerda
e com os braços cheios de soluços.*

*Pelos corredores onde ninguém morreu
quero que passes, por um mar sem peixes,
sem escamas, sem náufragos,
por um hotel sem passos,
por um túnel sem fumaça.*

*É teu este mundo no qual ninguém nasce,
no qual não existem*

ni la corona muerta ni la flor uterina,
es tuyo este planeta lleno de piel y piedras.

Hay sombra allí para todas las vidas.
Hay círculos de leche y edificios de sangre,
y torres de aire verde.
Hay silencio en los muros, y grandes vacas pálidas
con pezuñas de vino.

Hay sombra allí para que continúe
el diente en la mandíbula y un labio frente a otro,
y para que tu boca pueda hablar sin morirse,
y para que tu sangre no se derrumbe en vano

Oh madre oscura, hiéreme
con diez cuchillos en el corazón,
hacia ese lado, hacia ese tiempo claro,
hacia esa primavera sin cenizas.

Hasta que rompas sus negras maderas
llama en mi corazón, hasta que un mapa
de sangre y de cabellos desbordados
manche los agujeros y la sombra,
basta que lloren sus vidrios golpea,
hasta que se derramen sus agujas.

La sangre tiene dedos y abre túneles
debajo de la tierra.

nem a coroa morta nem a flor uterina,
é teu este planeta cheio de pele e de pedras.

Aí há sombra para todas as vidas.
Há círculos de leite e edifícios de sangue,
e torres de ar verde.
Há silêncio nos muros e grandes vacas pálidas
com úngulas de vinho.

Aí há sombra para que continue
o dente na mandíbula e um lábio diante do outro,
e para que a tua boca possa falar sem morrer,
e para que o teu sangue não se derrame em vão.

Oh mãe obscura, fere-me
com dez facas no coração,
por esse lado, para esse tempo claro,
para essa primavera sem cinzas.

Até que rompas suas negras madeiras
chama no meu coração, até que um mapa
de sangue e de cabelos derramados
manche os agulheiros e a sombra,
até que chorem os seus vidros golpeia,
até que se derramem as suas agulhas.

O sangue possui dedos e abre túneis
debaixo da terra.

ENFERMEDADES EN MI CASA

Cuando el deseo de alegría con sus dientes de rosa
escarba los azufres caídos durante muchos meses
y su red natural, sus cabellos sonando
a mis habitaciones extinguidas con ronco paso llegan,
allí la rosa de alambre maldito
golpea con arañas las paredes
y el vidrio roto hostiliza la sangre,
y las uñas del cielo se acumulan,
de tal modo que no se puede salir, que no se puede
    digerir
un asunto estimable,
es tanta la niebla, la vaga niebla cagada por los pájaros,
es tanto el humo convertido en vinagre
y el agrio aire que horada las escalas:
en ese instante en que el día se cae con las plumas deshechas,
no hay sino llanto, nada más que llanto,
porque sólo sufrir, solamente sufrir,
y nada más que llanto.
El mar se ha puesto a golpear por años una pata de pájaro,
y la sal golpea y la espuma devora,
las raíces de un árbol sujetan una mano de niña,
las raíces de un árbol más grande que una mano de niña,
más grande que una mano del cielo,
y todo el año trabajan, cada día de luna
sube sangre de niña hacia las hojas manchadas por la luna,
y hay un planeta de terribles dientes
envenenando el agua en que caen los niños,

DOENÇAS NA MINHA CASA

Quando o desejo de alegria com seus dentes de rosa
escarva os enxofres caídos durante muitos meses
e sua rede natural, seus cabelos a ressoar
aos meus aposentos extintos com passo rouco chegam,
ali a rosa de arame maldito
golpeia com aranhas as paredes
e o vidro quebrado hostiliza o sangue,
e as unhas do céu se acumulam,
de tal modo que não se pode sair, que não se pode
      digerir
um assunto estimável,
é tanta a névoa, a vaga névoa cagada pelo pássaros,
é tanta a fumaça convertida em vinagre
e o ar azedo que esburaca as escadas:
nesse instante em que o dia cai com as plumas desfeitas,
há somente pranto, nada mais que pranto, porque só
sofrer, somente sofrer,
e nada mais que pranto.
O mar se pôs a golpear por anos uma pata de pássaro,
e o sal golpeia e a espuma devora,
as raízes duma árvore subjugam mão de menina,
as raízes duma árvore maior que mão de menina,
maior que mão do céu,
e o ano todo trabalham, cada dia de lua
sobe sangue de menina às folhas manchadas de lua,
e há um planeta de terríveis dentes
envenenando a água em que caem os meninos,

cuando es de noche, y no hay sino la muerte,
solamente la muerte, y nada más que el llanto.

Como un grano de trigo en el silencio, pero
a quién pedir piedad por un grano de trigo?
Ved cómo están las cosas: tantos trenes,
tantos hospitales con rodillas quebradas,
tantas tiendas con gentes moribundas:
entonces, cómo?, cuándo?,
a quién pedir por unos ojos del color de un mes frío,
y por un corazón del tamaño del trigo que vacila?
No hay sino ruedas y consideraciones,
alimentos progresivamente distribuidos,
líneas de estrellas, copas
en donde nada cae, sino sólo la noche,
nada más que la muerte.

Hay que sostener los pasos rotos:
Cruzar entre tejados y tristezas mientras arde
una cosa quemada con llamas de humedad,
una cosa entre trapos tristes como la lluvia,
algo que arde y solloza, un síntoma, un silencio.
Entre abandonadas conversaciones y objetos respirados,
entre las flores vacías que el destino corona y abandona,
hay un río que cae en una herida,
hay el océano golpeando una sombra de flecha quebrantada,
hay todo el cielo agujereando un beso.

Ayudadme, hojas que mi corazón ha adorado en silencio,
ásperas travesías, inviernos del sur, cabelleras

quando é de noite, e não há senão a morte,
somente a morte, e nada mais que o pranto.

Como um grão de trigo no silêncio, porém
a quem pedir piedade por um grão de trigo?
Vede como estão as coisas:
tantos trens, tantos hospitais de joelhos quebrados,
tantas tendas com gente moribunda:
e assim, como? quando?,
a quem pedir por uns olhos da cor de um mês frio,
e por um coração do tamanho do trigo que vacila?
Não há senão rodas e considerações,
alimentos progressivamente distribuídos,
linhas de estrelas, taças
onde nada cai, a não ser a noite,
nada mais que a morte.

Há que sustentar os passos quebrados.
Cruzar entre telhados e tristezas enquanto arde
uma coisa queimada com chamas de umidade,
uma coisa entre trapos tristes como a chuva,
algo que arde e soluça, um sintoma, um silêncio.
Entre abandonadas conversações e objetos respirados,
entre as flores vazias que o destino coroa e abandona,
há um rio que cai numa ferida,
há o oceano golpeando uma sombra de flecha quebrada,
há todo o céu esburacando um beijo.

Ajudai-me, folhas que o meu coração adorou em silêncio,
ásperas travessias, invernos do sul, cabeleiras

de mujeres mojadas en mi sudor terrestre,
luna del sur del cielo deshojado,
venid a mí con un día sin dolor,
con un minuto en que pueda reconocer mis venas.

Estoy cansado de una gota,
estoy herido en solamente un pétalo,
y por un agujero de alfiler sube un río de sangre sin
        consuelo,
y me ahogo en las aguas del rocío que se pudre en la sombra,
y por una sonrisa que no crece, por una boca dulce,
por unos dedos que el rosal quisiera
escribo este poema que sólo es un lamento,
solamente un lamento.

de mulheres molhadas no meu suor terrestre,
lua do sul do céu desfolhado,
vinde a mim com um dia sem dor,
com um minuto em que possa reconhecer minhas veias.

Estou cansado de uma gota,
estou ferido em apenas uma pétala,
e por um buraco de alfinete sobe um rio de sangue sem
        consolo.
E me afogo nas águas do orvalho que apodrece na sombra,
e por um sorriso que não cresce, por uma boca doce,
por uns dedos que a roseira quisera,
escrevo este poema que só é um lamento,
somente um lamento.

III

ODA CON UN LAMENTO

OH NIÑA entre las rosas, oh presión de palomas,
oh presidio de peces y rosales,
tu alma es una botella llena de sal sedienta
y una campana llena de uvas es tu piel.

Por desgracia no tengo para darte sino uñas
o pestañas, o pianos derretidos,
o sueños que salen de mi corazón a borbotones,
polvorientos sueños que corren como jinetes negros,
sueños llenos de velocidades y desgracias.

Sólo puedo quererte con besos y amapolas,
con guirnaldas mojadas por la lluvia,
mirando cenicientos caballos y perros amarillos.
Sólo puedo quererte con olas a la espalda
entre vagos golpes de azufre y aguas ensimismadas,
nadando en contra de los cementerios que corren en
       ciertos ríos
con pasto mojado creciendo sobre las tristes tumbas
       de yeso,
nadando a través de corazones sumergidos
y pálidas planillas de niños insepultos.

Hay mucha muerte, muchos acontecimientos funerarios
en mis desamparadas pasiones y desolados besos,
hay el agua que cae en mi cabeza,
mientras crece mi pelo,

ODE COM UM LAMENTO

OH MENINA entre rosas, oh pressão de pombas,
oh presídio de peixes e roseirais,
tua alma é uma garrafa cheia de sal sedento,
e um sino cheio de uvas é a tua pele.

Por desgraça não tenho para te dar mais do que unhas
ou pestanas, ou pianos derretidos,
ou sonhos que saem do meu coração aos borbotões,
empoeirados sonhos que correm como ginetes negros,
sonhos cheios de velocidades e desgraças.

Só posso te querer com beijos e papoulas,
com grinaldas molhadas pela chuva,
olhando cinzentos cavalos e cachorros amarelos.
Só posso te querer com ondas por detrás,
entre vagos golpes de enxofre e águas ensimesmadas,
nadando contra os cemitérios que correm em certos
       rios
com pasto molhado crescendo sobre os tristes túmulos
       de gesso,
nadando através de corações submersos
e pálidos cadernos de meninos insepultos.

Há muita morte, muitos acontecimentos funerários
em minhas desamparadas paixões e desolados beijos,
há a água que cai na minha cabeça,
enquanto cresce o meu cabelo,

un agua como el tiempo, un agua negra
        desencadenada,
con una voz nocturna, con un grito
de pájaro en la lluvia, con una interminable
sombra de ala mojada que protege mis huesos:
mientras me visto, mientras
interminablemente me miro en los espejos y en los
        vidrios,
oigo que alguien me sigue llamándome a sollozos
con una triste voz podrida por el tiempo.

Tú estás de pie sobre la tierra, llena
de dientes y relámpagos.
Tú propagas los besos y matas las hormigas.
Tú lloras de salud, de cebolla, de abeja,
de abecedario ardiendo.
Tú eres como una espada azul y verde
y ondulas al tocarte, como un río.

Ven a mi alma vestida de blanco, con un ramo
de ensangrentadas rosas y copas de cenizas,
ven con una manzana y un caballo,
porque allí hay una sala oscura y un candelabro roto,
unas sillas torcidas que esperan el invierno,
y una paloma muerta, con un número.

uma água como o tempo, uma água negra
    desencadeada,
com uma voz noturna, com um grito
de passos na chuva, com uma interminável
sombra de asa molhada que protege meus ossos:
enquanto me visto, enquanto
interminavelmente me espio nos espelhos e nas
    vidraças,
ouço que alguém me segue me chamando aos soluços
com uma triste voz apodrecida pelo tempo.

Estás de pé sobre a terra, cheia
de dentes e relâmpagos.
Propagas os beijos e matas as formigas.
Choras de saúde, de cebola, de abelha,
de abecedário ardendo.
És uma espada azul e verde
e ondulas ao te tocarem, como um rio.

Vem à minha alma vestida de branco, como um ramo
de ensanguentadas rosas e taças de cinzas,
vem com uma maçã e um cavalo,
porque ali há mais uma sala escura e um candelabro
    quebrado
umas cadeiras retorcidas que esperam o inverno,
e uma pomba morta, com um número.

MATERIAL NUPCIAL

De pie como un cerezo sin cáscara ni flores,
especial, encendido, con venas y saliva,
y dedos y testículos,
miro una niña de papel y luna,
horizontal, temblando y respirando y blanca
y sus pezones como dos cifras separadas,
y la rosal reunión de sus piernas en donde
su sexo de pestañas nocturnas parpadea.

Pálido, desbordante,
siento hundirse palabras en mi boca,
palabras como niños ahogados,
y rumbo y rumbo y dientes crecen naves,
y aguas y latitud como quemadas.

La pondré como una espada o un espejo,
y abriré hasta la muerte sus piernas temerosas,
y morderé sus orejas y sus venas,
y haré que retroceda con los ojos cerrados
en un espeso río de semen verde.

La inundaré de amapolas y relámpagos,
la envolveré en rodillas, en labios, en agujas,
la entraré con pulgadas de epidermis llorando
y presiones de crimen y pelos empapados.

La haré huir escapándose por uñas y suspiros,
hacia nunca, hacia nada,

MATÉRIA NUPCIAL

De pé como cerejeira sem casca e sem flores,
especial, aceso, com veias e saliva,
e dedos e testículos,
espio uma menina de papel e lua,
horizontal, tremendo e respirando e branca
e seus mamilos como dois zeros separados,
e a rosal reunião das suas pernas onde
o seu sexo de cílios noturnos pestaneja.

Pálido, transbordante,
sinto palavras se afundarem na minha boca,
palavras como crianças afogadas,
e rumo e rumo e dentes crescem navios,
e águas e latitude como queimadas.

Como um espelho ou uma espada eu a colocarei,
e abrirei até a morte suas pernas temerosas,
e morderei suas orelhas e suas veias,
e farei que retroceda de olhos fechados
num espesso rio de sêmen verde.

De papoulas e relâmpagos eu a inundarei,
em joelhos, em lábios, em agulhas eu a envolverei,
com polegadas de epiderme chorando eu a entrarei
e pressões de crime e cabelos empapados.

Escapando-se por unhas e suspiros eu a farei fugir,
para nunca, para nada,

trepándose a la lenta médula y al oxígeno,
agarrándose a recuerdos y razones
como una sola mano, como un dedo partido
agitando una uña de sal desamparada.

Debe correr durmiendo por caminos de piel
en un país de goma cenicienta y ceniza,
luchando con cuchillos, y sábanas, y hormigas,
y con ojos que caen en ella como muertos,
y con gotas de negra materia resbalando
como pescados ciegos o balas de agua gruesa.

grimpando à lenta medula e ao oxigênio,
agarrando-se a lembranças e razões
como um dedo partido ou mão solitária,
agitando uma unha de sal desamparado.

Deve correr dormindo por caminhos de pele
num país de borracha cinzenta e cinza,
lutando com facas, e lençóis, e formigas,
e com olhos que tombam sobre ela como mortos,
e com gotas de negra matéria escorregando
como peixes cegos ou balas de água grossa.

AGUA SEXUAL

Rodando a goterones solos,
a gotas como dientes,
a espesos goterones de mermelada y sangre,
rodando a goterones,
cae el agua,
como una espada en gotas,
como un desgarrador río de vidrio,
cae mordiendo,
golpeando el eje de la simetría, pegando en las costuras
        del alma,
rompiendo cosas abandonadas, empapando lo oscuro.

Solamente es un soplo, más húmedo que el llanto,
un liquido, un sudor, un aceite sin nombre,
un movimiento agudo,
haciéndose, espesándose,
cae el agua,
a goterones lentos,
hacia su mar, hacia su seco océano,
hacia su ola sin agua.

Veo el verano extenso, y un extertor saliendo de un granero,
bodegas, cigarras,
poblaciones, estímulos,
habitaciones, niñas
durmiendo con las manos en el corazón,
soñando con bandidos, con incendios,

ÁGUA SEXUAL

Rolando em grandes gotas solitárias,
em gotas como dentes,
em espessas gotas de marmelada e sangue,
rolando em grandes gotas,
cai a água,
como um dilacerante rio de vidro,
uma espada em gotas,
cai mordendo,
golpeando o eixo da simetria, agarrando-se às costuras
 da alma,
rompendo coisas abandonadas, empapando o escuro.

É somente um sopro, mais úmido que o pranto,
um líquido, um suor, um azeite sem nome,
um movimento agudo,
fazendo-se, espessando-se,
cai a água,
em grandes gotas lentas,
para o seu mar, para o seu seco oceano,
para sua onda sem água.

Vejo o verão extenso, e um estertor saindo dum celeiro,
adegas, cigarras,
povoações, estímulos,
quartos, meninas
dormindo com as mãos no coração,
sonhando com bandidos, com incêndios,

veo barcos,
veo árboles de médula
erizados como gatos rabiosos,
veo sangre, puñales y medias de mujer,
y pelos de hombre,
veo camas, veo corredores donde grita una virgen,
veo frazadas y órganos y hoteles.

Veo los sueños sigilosos,
admito los postreros días,
y también los orígenes, y también los recuerdos,
como un párpado atrozmente levantado a la fuerza
estoy mirando.

Y entonces hay este sonido:
un ruido rojo de huesos,
un pegarse de carne,
y piernas amarillas como espigas juntándose.
Yo escucho entre el disparo de los besos,
escucho, sacudido entre respiraciones y sollozos.

Estoy mirando, oyendo,
con la mitad del alma en el mar y la mitad del alma en la
       tierra,
y con las dos mitades del alma miro al mundo.

Y aunque cierre los ojos y me cubra el corazón
       enteramente,
veo caer un agua sorda,
a goterones sordos.

vejo navios,
vejo árvores de medula
eriçadas como gatos raivosos,
vejo sangue, punhais e meias de mulher,
e cabelos de homem,
vejo camas, vejo corredores onde grita uma virgem,
vejo cobertores e órgãos e hotéis.

Vejo os sonhos sigilosos,
admito os derradeiros dias,
e também as origens, e também as recordações,
como pálpebra atrozmente levantada à força
estou olhando.

E então há este som:
um ruído rubro de ossos,
um grudar-se de carne,
e pernas amarelas como espigas se juntando.
Entre os disparos dos beijos escuto,
escuto, sacudido entre respirações e soluços.

Estou olhando, ouvindo,
com a metade da alma no mar e a metade da alma na
      terra,
e com as duas metades da alma olho o mundo.

E ainda que feche os olhos e me cubra o coração
      inteiramente,
vejo cair uma água surda,
em grandes gotas surdas.

Es como un huracán de gelatina,
como una catarata de espermas y medusas.
Veo correr un arco iris turbio.
Veo pasar sus aguas a través de los huesos.

É como um furacão de gelatina,
como cachoeira de espermas e medusas.
Vejo correr um arco-íris turvo.
Vejo passar as suas águas através dos ossos.

IV

TRES CANTOS MATERIALES

IV

TRÊS CANTOS MATERIAIS

ENTRADA A LA MADERA

Con mi razón apenas, con mis dedos,
con lentas aguas lentas inundadas,
caigo al imperio de los nomeolvides,
a una tenaz atmósfera de luto,
a una olvidada sala decaída,
a un racimo de tréboles amargos.

Caigo en la sombra, en medio
de destruidas cosas,
y miro arañas, y apaciento bosques
de secretas maderas inconclusas,
y ando entre húmedas fibras arrancadas
al vivo ser de substancia y silencio.

Dulce materia, oh rosa de alas secas,
en mi hundimiento tus pétalos subo
con pies pesados de roja fatiga,
y en tu catedral dura me arrodillo
golpeándome los labios con un ángel.

Es que soy yo ante tu color de mundo,
ante tu pálidas espadas muertas,
ante tus corazones reunidos,
ante tu silenciosa multitud.

Soy yo ante tu ola de olores muriendo,
envueltos en otoño y resistencia:

ENTRADA NA MADEIRA

Com a minha razão apenas, com os meus dedos,
com lentas águas lentas inundadas,
caio no império dos miosótis,
numa tenaz atmosfera de luto,
numa olvidada sala decaída,
num cacho de trevos amargos.

Caio na sombra, no meio
de destruídas coisas,
e espio aranhas, e apascento bosques
de secretas madeiras inconclusas,
e ando entre úmidas fibras arrancadas
ao vivo ser de substância e silêncio.

Doce matéria, oh rosa de asas secas,
no meu afundamento as tuas pétalas subo
com pesados pés de rubra fadiga,
e na tua catedral dura me ajoelho
batendo nos meus lábios com um anjo.

É que sou eu diante da tua cor de mundo,
diante das tuas pálidas espadas mortas,
diante dos teus corações reunidos,
diante da tua silenciosa multidão.

Sou eu diante da tua onda de aromas morrendo,
envoltos em outono e resistência:

soy yo emprendiendo un viaje funerario
entre tus cicatrices amarillas:
soy yo con mis lamentos sin origen,
sin alimentos, desvelado, solo,
entrando oscurecidos corredores,
llegando a tu materia misteriosa.

Veo moverse tus corrientes secas,
veo crecer manos interrumpidas,
oigo tu vegetales oceánicos
crujir de noche y furia sacudidos,
y siento morir hojas hacia adentro,
incorporando materiales verdes
a tu inmovilidad desamparada.

Poros, vetas, círculos de dulzura,
peso, temperatura silenciosa,
flechas pegadas a tu alma caída,
seres dormidos en tu boca espesa,
polvo de dulce pulpa consumida,
ceniza llena de apagadas almas,
venid a mí, a mi sueño sin medida,
caed en mi alcoba en que la noche cae
y cae sin cesar como agua rota,
y a vuestra vida, a vuestra muerte asidme,
y a vuestros materiales sometidos,
a vuestras muertas palomas neutrales,
y hagamos fuego, y silencio, y sonido,
y ardamos, y callemos, y campanas.

sou eu empreendendo uma viagem funerária
entre as tuas cicatrizes amarelas:
sou eu com os meus lamentos sem origem,
sem alimentos, insone, sozinho,
entrando por escurecidos corredores,
chegando à tua matéria misteriosa.

Vejo se moverem as tuas correntes secas,
vejo a crescer as tuas mãos interrompidas,
ouço os teus vegetais oceânicos
estalar de noite e fúria sacudidos,
e sinto a morrer folhas para dentro,
incorporando materiais verdes
à tua imobilidade desamparada.

Poros, veios, círculos de doçura,
peso, temperatura silenciosa,
flechas coladas a tua alma caída,
seres adormecidos na tua boca espessa,
pó de doce polpa consumida,
cinza cheia de apagadas almas,
vinde a mim, ao meu sonho sem medida,
caí na minha alcova em que a noite cai
e cai sem cessar como água quebrada,
e à vossa vida, à vossa morte juntai-me,
e a vossos materiais submetidos,
e a vossas mortas pombas imparciais,
e façamos fogo, e silêncio, e ruído,
e ardamos, e calemos, e sinos.

APOGEO DEL APIO

Del centro puro que los ruidos nunca
atravesaron, de la intacta cera,
salen claros relámpagos lineales,
palomas con destino de volutas,
hacia tardías calles con olor
a sombra y a pescado.

Son las venas del apio! Son la espuma, la risa,
los sombreros del apio!
Son los signos del apio, su sabor
de luciérnaga, sus mapas
de color inundado,
y cae su cabeza de ángel verde,
y su delgados rizos se acongojan,
y entran los pies del apio en los mercados
de la mañana herida, entre sollozos,
y se cierran las puertas a su paso,
y los dulces caballos se arrodillan.

Sus pies cortados van, sus ojos verdes
van derramados, para siempre hundidos
en ellos los secretos y las gotas:
los túneles del mar de donde emergen,
las escaleras que el apio aconseja,
las desdichadas sombras sumergidas,
las determinaciones en el centro del aire,
los besos en el fondo de las piedras.

APOGEU DO AIPO

Do CENTRO PURO que os ruídos nunca
atravessaram, da intacta cera,
saem claros relâmpagos lineares,
pombas com destino de volutas,
para tardias ruas com odor
de sombra e de peixe.

São as veias do aipo! São a espuma, o riso,
os chapéus do aipo!
São os signos do aipo, seu sabor
de vaga-lume, seus mapas
de cor inundada,
e cai a sua cabeça de anjo verde,
e seus delgados anéis se afligem,
e entram os pés do aipo nos mercados
da manhã ferida, entre soluços,
e se fecham as portas ao seu passo,
e os doces cavalos se ajoelham.

Seus pés cortados vão, seus olhos verdes
vão derramados, para sempre mergulhados
neles os segredos e as gotas:
os túneis do mar de onde emergem,
as escadarias que o aipo aconselha,
as desventuradas sombras submersas,
as determinações no centro do ar,
os beijos no fundo das pedras.

A medianoche, con manos mojadas,
alguien golpea mi puerta en la niebla,
y oigo la voz del apio, voz profunda,
áspera voz de viento encarcelado,
se queja herido de aguas y raíces,
hunde en mi cama sus amargos rayos,
y sus desordenadas tijeras me pegan en el pecho
buscándome la boca del corazón ahogado.

Qué quieres, huésped de corsé quebradizo,
en mis habitaciones funerales?
Qué ambito destrozado te rodea?

Fibras de oscuridad y luz llorando,
ribetes ciegos, energías crespas,
ríos de vida y hebras esenciales,
verdes ramas de sol acariciado,
aquí estoy, en la noche, escuchando secretos,
desvelos, soledades,
y entráis, en medio de la niebla hundida,
hasta crecer en mí, hasta comunicarme
la luz oscura y la rosa de la tierra.

À meia-noite, com as mãos molhadas,
alguém bate à minha porta na névoa,
e ouço a voz do aipo, voz profunda,
áspera voz de vento encarcerado,
queixa-se ferido de águas e raízes,
mergulha na minha cama seus amargos raios,
e suas desordenadas tesouras me agarram no peito
buscando-me a boca do coração afogado.

Que queres, hóspede de corpete quebradiço,
nos meus aposentos funerários?
Que âmbito destroçado te rodeia?

Fibras de escuridão e luz chorando,
orlas cegas, energias crespas,
rios de vida e fibras essenciais,
verdes ramos de sol acariciado,
aqui estou, na noite, escutando segredos,
desvelos, soledades,
e entrais, no meio da névoa submersa,
até crescer em mim, até comunicar-me
a luz escura e a rosa da terra.

ESTATUTO DEL VINO

Cuando a regiones, cuando a sacrificios
manchas moradas como lluvias caen,
el vino abre las puertas con asombro,
y en el refugio de los meses vuela
su cuerpo de empapadas alas rojas.

Sus pies toca los muros y las tejas
con humedad de lenguas anegadas,
y sobre el filo del día desnudo
sus abejas en gotas van cayendo.

Yo sé que el vino no huye dando gritos
a la llegada del invierno,
ni se esconde en iglesias tenebrosas,
a buscar fuego en trapos derrumbados,
sino que vuela sobre la estación,
sobre el invierno que ha llegado ahora
con un puñal entre las cejas duras.

Yo veo vagos sueños,
yo reconozco lejos,
y miro frente a mí, detrás de los cristales,
reuniones de ropas desdichadas.

A ellas la bala del vino no llega,
su amapola eficaz, su rayo rojo
mueren ahogados en tristes tejidos,
y se derrama por canales solos,

ESTATUTO DO VINHO

Quando em regiões, quando em sacrifícios
manchas cor de amora como chuvas caem,
o vinho abre as portas com assombro,
e no refúgio dos meses voa
seu corpo de empapadas asas rubras.

Seus pés tocam os muros e as telhas
com umidade de línguas alagadas,
e sobre o frio do dia despido
suas abelhas em gotas vão caindo.

Sei que o vinho não foge dando gritos
à chegada do inverno,
nem se esconde em igrejas tenebrosas,
a procurar fogo em trapos derrubados,
e sim que voa sobre a estação,
sobre o inverno que chegou agora
com um punhal entre as sobrancelhas duras.

Vejo vagos sonhos,
reconheço longe,
olho na minha frente, por trás dos cristais,
reuniões de roupas desventuradas.

A elas o projétil do vinho não chega,
sua papoula eficaz, seu raio rubro
morrem afogados em tristes tecidos,
e se derrama em canais solitários,

por calles húmedas, por ríos sin nombre,
el vino amargamente sumergido,
el vino ciego y subterráneo y solo.

Yo estoy de pie en su espuma y sus raíces,
yo lloro en su follaje y en sus muertos.
acompañado de sastres caídos
en medio del invierno deshonrado,
yo subo escalas de humedad y sangre
tanteando las paredes,
y en la congoja del tiempo que llega
sobre una piedra me arrodillo y lloro.

Y hacia túneles acres me encamino
vestido de metales transitorios,
hacia bodegas solas, hacia sueños,
hacia betunes verdes que palpitan,
hacia herrarías desinteresadas,
hacia sabores de lodo y garganta,
hacia imperecederas mariposas.

Entonces surgen los hombres del vino
vestidos de morados cinturones
y sombreros de abejas derrotadas,
y traen copas llenas de ojos muertos,
y terribles espadas de salmuera,
y con roncas bocinas se saludan
cantando cantos de intención nupcial.

Me gusta el canto ronco de los hombres del vino,
y el ruido de mojadas monedas en la mesa,

em ruas úmidas, em rios sem nome,
o vinho amargamente submergido,
o vinho cego e subterrâneo e só.

Estou de pé na sua espuma e nas suas raízes,
choro na sua folhagem e nos seus mortos,
acompanhado de alfaiates caldos
no meio do inverno desonrado,
subo escadas de umidade e sangue
tateando as paredes,
e na aflição do tempo que chega
sobre uma pedra me ajoelho e choro.

E para túneis acres me encaminho
vestido de metais transitórios,
para adegas solitárias, para sonhos,
para betumes verdes que palpitam,
para serralherias desinteressadas,
para sabores de lodo e garganta,
para imorredouras borboletas.

Então surgem os homens do vinho
vestidos de cinturões cor de amora
e chapéus de abelhas derrotadas,
e trazem taças cheias de olhos mortos,
e terríveis espadas de salmoura,
e com roucas trombetas se cumprimentam
cantando cantos de intenção nupcial.

Me agrada o canto rouco dos homens do vinho,
e o ruído de molhadas moedas na mesa,

y el olor de zapatos y de uvas,
y de vómitos verdes:
me gusta el canto ciego de los hombres,
y ese sonido de sal que golpea
las paredes del alba moribunda.

Hablo de cosas que existen. Dios me libre
de inventar cosas cuando estoy cantando!
Hablo de la saliva derramada en los muros,
hablo de lentas medias de ramera,
hablo del coro de los hombres del vino
golpeando el ataúd con un hueso de pájaro.

Estoy en medio de ese canto, en medio
del invierno que rueda por las calles,
estoy en medio de los bebedores,
con los ojos abiertos hacia olvidados sitios,
o recordando en delirante luto,
o durmiendo en cenizas derribado.

Recordando noches, navíos, sementeras,
amigos fallecidos, circunstancias,
amargos hospitales y niñas entreabiertas:
recordando un golpe de ola en cierta roca
con un adorno de harina y espuma,
y la vida que hace uno en ciertos países,
en ciertas costas solas,
un sonido de estrellas en las palmeras,
un golpe del corazón en los vidrios,
un tren que cruza oscuro de ruedas malditas
y muchas cosas tristes de esta especie.

e o cheiro de sapatos e de uvas,
e de vômitos verdes:
me agrada o canto cego dos homens,
e esse som de sal que bate
nas paredes da alba moribunda.

Falo de coisas que existem. Deus me livre
de inventar coisas quando estou cantando!
Falo da saliva derramada nos muros,
falo de lentas meias de rameira,
falo do coro dos homens do vinho
batendo no ataúde com um osso de pássaro.

Estou no meio deste canto, no meio
do inverno que rola pelas ruas,
estou no meio dos bebedores,
com os olhos abertos para lugares esquecidos,
ou recordando em delirante luto,
ou dormindo em cinzas derrubado.

Recordando noites, navios, sementeiras,
amigos falecidos, circunstâncias,
amargos hospitais e meninas entreabertas:
recordando uma pancada de onda em certa rocha
com um adorno de farinha e espuma,
e a vida que levam alguns
em certos países, em certos litorais solitários,
um som de estrelas nas palmeiras,
uma pancada do coração nas vidraças,
um trem que cruza obscuro de rodas malditas
e muitas coisas tristes desta espécie.

A la humedad del vino, en las mañanas,
en las paredes a menudo mordidas por los días de invierno
que caen en bodegas sin duda solitarias,
e esa virtud del vino llegan luchas,
y cansados metales y sordas dentaduras,
y hay un tumulto de objeciones rotas,
hay un furioso llanto de botellas,
y un crimen, como un látigo caído.

El vino clava sus espinas negras,
y sus erizos lúgubres pasea,
entre puñales, entre medianoches,
entre roncas gargantas arrastradas,
entre cigarros y torcidos pelos,
y como ola de mar su voz aumenta
aullando llanto y manos de cadáver.

Y entonces corre el vino perseguido
y sus tenaces odres se destrozan
contra las herraduras, y va el vino en silencio,
y sus toneles, en heridos buques en donde el aire muerde
rostros, tripulaciones de silencio,
y el vino huye por las carreteras,
por la iglesias, entre los carbones,
y se caen sus plumas de amaranto,
y se disfraza de azufre su boca,
y el vino ardiendo entre calles usadas
buscando pozos, túneles, hormigas,
bocas de tristes muertos,
por donde ir al azul de la tierra
en donde se confunden la lluvia y los ausentes.

À umidade do vinho, nas manhãs,
nas paredes amiúde mordidas pelos dias de inverno
que caem em adegas sem dúvida solitárias,
a essa virtude do vinho chegam lutas,
e cansados metais e surdas dentaduras,
e há um tumulto de objeções partidas,
há um furioso pranto de garrafas,
e um crime, como um chicote, caído.

O vinho crava os seus espinhos negros,
e seus ouriços lúgubres passeia,
entre punhais, entre meia-noites,
entre roucas gargantas arrastadas,
entre cigarros e retorcidos cabelos,
e como onda do mar a sua voz aumenta
uivando pranto e mãos de cadáver.

E então corre o vinho perseguido
e seus tenazes odres se destroçam
de encontro às ferraduras, e vai o vinho em silêncio,
e seus tonéis, em feridos barcos onde o ar morde
rostos, tripulações de silêncio,
e o vinho foge pelas estradas,
pelas igrejas, entre os carvões,
e tombam suas plumas de amaranto,
e se disfarça de enxofre a sua boca,
e o vinho ardendo entre ruas usadas
procurando poços, túneis, formigas,
bocas de tristes mortos,
por onde ir ao azul da terra
onde se confundem a chuva e os ausentes.

V

ODA A FEDERICO GARCÍA LORCA

Si PUDIERA llorar de miedo en una casa sola,
si pudiera sacarme los ojos y comérmelos,
lo haría por tu voz de naranjo enlutado
y por tu poesía que sale dando gritos.

Porque por ti pintan de azul los hospitales
y crecen las escudas y los barrios marítimos,
y se pueblan de plumas los ángeles heridos,
y se cubren de escamas los pescados nupciales,
y van volando al ciclo los erizos:
por ti las sastrerías con sus negras membranas
se llenan de cucharas y de sangre,
y tragan cintas rojas, y se matan a besos,
y se visten de blanco.

Cuando vuelas vestido de durazno,
cuando ríes con risa de arroz huracanado,
cuando para cantar sacudes las arterias y los dientes,
la garganta y los dedos,
me moriría por lo dulce que eres,
me moriría por los lagos rojos.
en donde en medio del otoño vives
con un corcel caído y un dios ensangrentado,
me moriría por los cementerios
que como cenicientos ríos pasan
con agua y tumbas,
de noche, entre campanas ahogadas:

ODE A FEDERICO GARCÍA LORCA

Se pudesse chorar de medo numa casa solitária,
se pudesse arrancar-me os olhos e comê-los,
eu o faria pela tua voz de laranjeira enlutada
e pela tua poesia que sai dando gritos.

Porque por ti pintam de azul os hospitais
e crescem as escolas e os bairros marítimos,
e se povoam de plumas os anjos feridos,
e se cobrem de escamas os peixes nupciais,
e vão voando para o céu os ouriços:
por ti as alfaiatarias com suas negras membranas
se enchem de colheres e de sangue,
e engolem fitas vermelhas, e se matam a beijos,
e se vestem de branco.

Quando voas vestido de pêssego,
quando ris com riso de arroz no furacão,
quando para cantar agitas as artérias e os dentes,
a garganta e os dedos,
eu morreria pelo doce que és,
morreria pelos lagos vermelhos
onde no meio do outono vives
com um corcel caído e um deus ensanguentado,
morreria pelos cemitérios
que como cinzentos rios passam
com águas e túmulos,
à noite, entre sinos afogados:

ríos espesos como dormitorios
de soldados enfermos, que de súbito crecen
hacia la muerte en ríos con números de mármol
y coronas podridas, y aceites funerales:
me moriría por verte de noche
mirar pasar las cruces anegadas,
de pie y llorando,
porque ante el río de la muerte lloras
abandonadamente, heridamente,
lloras llorando, con los ojos llenos
de lágrimas, de lágrimas, de lágrimas.

Si pudiera de noche, perdidamente solo,
acumular olvido y sombra y humo
sobre ferrocarriles y vapores,
con un embudo negro,
mordiendo las cenizas,
lo haría por el árbol en que creces,
por los nidos de aguas doradas que reúnes,
y por la enredadera que te cubre los huesos
comunicándote el secreto de la noche.

Ciudades con olor a cebolla mojada
esperan que tú pases cantando roncamente,
y silenciosos barcos de esperma te persiguen,
y golondrinas verdes hacen nido en tu pelo,
y además caracoles y semanas,
mástiles enrollados y cerezos
definitivamente circulan cuando asoman
tu pálida cabeza de quince ojos
y tu boca de sangre sumergida.

rios espessos como dormitórios
de soldados doentes, que de súbito crescem
para a morte em rios com números de mármore
e coroas apodrecidas, e azeites funerários:
morreria por ver-te à noite
olhar passar as cruzes alagadas,
de pé e chorando,
porque ante o rio da morte choras
abandonadamente, feridamente,
choras chorando, com os olhos cheios
de lágrimas, de lágrimas, de lágrimas.

Se pudesse à noite, perdidamente só,
acumular esquecimento e sombra e fumaça
sobre caminhos de ferro e vapores,
com um funil negro,
mordendo as cinzas,
eu o faria pela árvore em que cresces,
pelos ninhos de águas douradas que reúnes,
e pela trepadeira que te cobre os ossos,
te comunicando o segredo da noite.

Cidades com cheiro de cebola molhada
esperam que passes cantando roucamente,
e silenciosas embarcações de esperma te perseguem,
e andorinhas verdes fazem ninho em teu cabelo,
e também caracóis e semanas,
mastros enrolados e cerejeiras
definitivamente circulam quando assomam
a tua pálida cabeça de quinze olhos
e a tua boca de sangue submerso.

Si pudiera llenar de hollín las alcaldías
y, sollozando, derribar relojes,
sería para ver cuándo a tu casa
llega el verano con los labios rotos,
llegan muchas personas de traje agonizante,
llegan regiones de triste esplendor,
llegan arados muertos y amapolas,
llegan enterradores y jinetes,
llegan planetas y mapas con sangre,
llegan buzos cubiertos de ceniza,
llegan enmascarados arrastrando doncellas
atravesadas por grandes cuchillos,
llegan raíces, venas, hospitales,
manantiales, hormigas,
llega la noche con la cama en donde
muere entre las arañas un húsar solitario,
llega una rosa de odio y alfileres,
llega una embarcación amarillenta,
llega un día de viento con un niño,
llego yo con Oliverio, Norah,
Vicente Aleixandre, Delia,
Maruca, Malva Marina, María Luisa y Larco,
la Rubia, Rafael Ugarte,
Cotapos, Rafael Alberti,
Carlos, Bebé, Manolo Altolaguirre,
Molinari,
Rosales, Concha Méndez,
y otros que se me olvidan.

Se pudesse encher de fuligem as alcaidias
e, soluçando, derrubar relógios,
seria para ver quando na tua casa
chega o verão com os lábios rachados,
chegam muitas pessoas de traje agonizante,
chegam regiões de triste esplendor,
chegam arados mortos e papoulas,
chegam coveiros e ginetes,
chegam planetas e mapas com sangue,
chegam mergulhadores cobertos de cinza,
chegam mascarados arrastando donzelas
atravessadas por grandes facas,
chegam raízes, veias, hospitais,
mananciais, formigas,
chega a noite com a cama onde
morre entre as aranhas um hussardo solitário,
chega uma rosa de ódio e alfinetes,
chega uma embarcação amarelenta,
chega um dia de vento com um menino,
chego eu com Oliverio, Norah,
Vicente Aleixandre, Delia,
Maruca, Malva, Marina, Maria Luisa e Larco,
la Rubia, Rafel Ugarte,
Cotapos, Rafael Alberti,
Carlos, Bebé, Manolo Altolaguirre,
Molinari,
Rosales, Concha Méndez,
e outros que se me esquecem.

Ven a que te corone, joven de la salud
y de la mariposa, joven puro
como un negro relámpago perpetuamente libre,
y conversando entre nosotros,
ahora, cuando no queda nadie entre las rocas,
hablemos sencillamente como eres tú y soy yo:
para qué sirven los versos si no es para el rocío?

Para qué sirven los versos si no es para esa noche
en que un puñal amargo nos averigua, para ese día, para
ese crepúsculo, para ese rincón roto
donde el golpeado corazón del hombre se dispone a morir?

Sobre todo de noche,
de noche hay muchas estrellas,
todas dentro de un río,
como una cinta junto a las ventanas
de las casas llenas de pobres gentes.

Alguien se les ha muerto, tal vez
han perdido sus colocaciones en las oficinas,
en los hospitales, en los ascensores,
en las minas,
sufren los seres tercamente heridos
y hay propósito y llanto en todas partes:
mientras las estrellas corren dentro de un río
        interminable
hay mucho llanto en las ventanas,
los umbrales están gastados por el llanto,
las alcobas están mojadas por el llanto
que llega en forma de ola a morder las alfombras.

Vem para que te coroe, jovem da saúde
e da borboleta, jovem puro
com um negro relâmpago perpetuamente livre,
e conversando entre nós,
agora, quando não fica ninguém entre as rochas,
falemos singelamente como és tu e sou eu:
para que servem os versos se não for para o orvalho?

Para que servem os versos se não for para essa noite
em que um punhal amargo nos investiga, para esse dia,
para esse crepúsculo, para esse recanto partido
onde o batido coração do homem se dispõe a morrer?

Sobretudo à noite,
à noite têm muitas estrelas,
todas dentro de um rio,
como uma fita junto às janelas
das casas pobres cheias de pobres criaturas.

Mataram-nas alguém, talvez
perderam seus empregos nos escritórios,
nos hospitais, nos elevadores,
nas minas,
sofrem os seres obstinadamente feridos
e há propósitos e pranto em todas as partes:
enquanto as estrelas correm dentro dum rio
        interminável
há muito pranto nas janelas,
os umbrais estão gastos pelo pranto,
as alcovas estão molhadas pelo pranto
que chega em forma de onda a morder os tapetes.

Federico,
tú ves el mundo, las calles,
el vinagre,
las despedidas en las estaciones
cuando el humo levanta sus ruedas decisivas
hacia donde no hay nada sino algunas
separaciones, piedras, vías férreas.

Hay tantas gentes haciendo preguntas
por todas partes.
Hay el ciego sangriento, y el iracundo, y el
desanimado,
y el miserable, el árbol de las uñas,
el bandolero con la envidia a cuestas.

Así es la vida, Federico, aquí tienes
las cosas que te puede ofrecer mi amistad
de melancólico varón varonil.
Ya sabes por ti mismo muchas cosas,
y otras irás sabiendo lentamente.

Federico,
tu vês o mundo, as ruas,
o vinagre,
as despedidas nas estações
quando a fumaça levanta suas rodas decisivas
para onde não há nada a não ser algumas
separações, pedras, vias férreas.

Há tantas criaturas fazendo perguntas
por todas as partes.
Há o cego sangrento, o iracundo, e o
desanimado,
e o miserável, a árvore das unhas,
o bandoleiro com a inveja às costas.

Assim é a vida, Federico, aqui tens
as coisas que te pode oferecer minha amizade
de melancólico varão varonil.
Já sabes por ti mesmo muitas coisas,
e outras irás sabendo lentamente.

ALBERTO ROJAS JIMÉNEZ
VIENE VOLANDO

Entre plumas que asustan, entre noches,
entre magnolias, entre telegramas,
entre el viento del Sur y el Oeste marino,
                vienes volando.

Bajo las tumbas, bajo las cenizas,
bajo los caracoles congelados,
bajo las últimas aguas terrestres,
                vienes volando.

Más abajo, entre niñas sumergidas,
y plantas ciegas, y pescados rotos,
más abajo, entre nubes otra vez,
                vienes volando.

Más allá de la sangre y de los huesos,
más allá del pan, más allá del vino,
más allá del fuego,
                vienes volando.

Más allá del vinagre y de la muerte,
entre putrefacciones y violetas,
con tu celeste voz y tus zapatos húmedos,
                vienes volando.

ALBERTO ROJAS JIMÉNEZ
VEM VOANDO

Entre plumas que assustam, entre noites,
entre magnólias, entre telegramas,
entre o vento do Sul e o Oeste marinho,
            vens voando.

Debaixo dos túmulos, debaixo das cinzas,
debaixo dos caracóis congelados,
debaixo das últimas águas terrestres,
            vens voando.

Mais abaixo, entre meninas submersas,
e plantas cegas, e peixes arrebentados,
mais abaixo, entre nuvens outra vez,
            vens voando.

Além do sangue e dos ossos,
além do pão, além do vinho,
além do fogo,
            vens voando.

Além do vinagre e da morte,
entre putrefações e violetas,
com a tua voz celeste e os teus sapatos úmidos,
            vens voando.

Sobre diputaciones y farmacias,
y ruedas, y ahogados, y navíos,
y dientes rojos recién arrancados,
                vienes volando.

Sobre ciudades de tejado hundido
en que grandes mujeres se destrenzan
con anchas manos y peines perdidos,
                vienes volando.

Junto a bodegas donde el vino crece
con tibias manos turbias, en silencio,
con lentas manos de madera roja,
                vienes volando.

Entre aviadores desaparecidos,
al lado de canales y de sombras,
al lado de azucenas enterradas,
                vienes volando.

Entre botellas de color amargo,
entre anillos de anís y desventura,
levantando las manos y llorando,
                vienes volando.

Sobre dentistas y congregaciones,
sobre cines, y túneles y orejas,
con traje nuevo y ojos extinguidos,
                vienes volando.

Sobre deputações e farmácias,
e rodas, e advogados, e navios,
e dentes vermelhos recém-arrancados,
        vens voando.

Sobre cidades de telhado afundado
em que grandes mulheres se destrançam
com largas mãos e pentes perdidos,
        vens voando.

Junto a adegas onde o vinho cresce
com tíbias mãos turvas em silêncio,
com lentas mãos de madeira rubra,
        vens voando.

Entre aviadores desaparecidos,
ao lado de canais e de sombras,
ao lado de açucenas enterradas,
        vens voando.

Entre garrafas de cor amarga,
entre anéis de aniz e desventura,
levantando as mãos e chorando,
        vens voando.

Sobre dentistas e congregações,
sobre cinemas, e túneis, e orelhas,
de roupa nova e olhos extintos,
        vens voando.

Sobre tu cementerio sin paredes
donde los marineros se extravían,
mientras la lluvia de tu muerte cae,
              vienes volando.

Mientras la lluvia de tus dedos cae,
mientras la lluvia de tus huesos cae,
mientras tu médula y tu risa caen,
              vienes volando.

Sobre las piedras en que te derrites,
corriendo, invierno abajo, tiempo abajo,
mientras tu corazón desciende en gotas,
              vienes volando.

No estás allí, rodeado de cemento,
y negros corazones de notarios,
y enfurecidos huesos de jinetes:
              vienes volando.

Oh amapola marina, oh deudo mío,
oh guitarrero vestido de abejas,
no es verdad tanta sombra en tus cabellos:
              vienes volando.

No es verdad tanta sombra persiguiéndote,
no es verdad tantas golondrinas muertas,
tanta región oscura con lamentos:
              vienes volando.

Sobre o teu cemitério sem paredes
onde os marinheiros se extraviam,
enquanto a chuva da tua morte cai,
        vens voando.

Enquanto a chuva dos teus dedos cai,
enquanto a chuva dos teus ossos cai,
enquanto tua medula e teu riso caem,
        vens voando.

Sobre as pedras em que te derretes,
correndo, inverno abaixo, tempo abaixo,
enquanto o teu coração em gotas desce,
        vens voando.

Não estás ali, cercado de cimento,
e negros corações de notários,
e enfurecidos ossos de ginetes:
        vens voando.

Oh papoula marinha, oh parente meu,
oh guitarrista vestido de abelhas,
não é verdade tanta sombra em teus cabelos:
        vens voando.

Não é verdade tanta sombra te perseguindo,
não é verdade tantas andorinhas mortas,
tanta região escura com lamentos:
        vens voando.

El viento negro de Valparaíso
abre sus alas de carbón y espuma
para barrer el cielo donde pasas:
               vienes volando.

Hay vapores, y un frío de mar muerto,
y silbatos, y meses, y un olor
de mañana lloviendo y peces sucios:
               vienes volando.

Hay ron, tú y yo, y mi alma donde lloro,
y nadie, y nada, sino una escalera
de peldaños quebrados, y un paraguas:
               vienes volando.

Allí está el mar. Bajo de noche y te oigo
venir volando bajo el mar sin nadie,
bajo el mar que me habita, oscurecido:
               vienes volando.

Oigo tus alas y tu lento vuelo,
y el agua de los muertos me golpea,
como palomas ciegas y mojadas:
               vienes volando.

Vienes volando, solo, solitario,
solo entre muertos, para siempre solo,
vienes volando sin sombra y sin nombre,
sin azúcar, sin boca, sin rosales,
               vienes volando.

O vento negro de Valparaíso
abre as asas de carvão e espuma
para varrer o céu por onde passas:
              vens voando.

Há vapores, e um frio de mar morto,
e assovios, e meses, e um aroma
de manhã chovendo e peixes sujos:
              vens voando.

Há rum, tu e eu, e minh'alma de onde choro,
e ninguém, e nada, só uma escada
de degraus quebrados, e um guarda-chuva:
              vens voando.

Lá está o mar. Desço de noite e te ouço
vir voando debaixo do mar sem ninguém,
debaixo do mar que me habita, escurecido:
              vens voando.

Ouço as tuas asas e teu lento voo,
e a água dos mortos me golpeia,
como pombas cegas e molhadas:
              vens voando.

Vens voando, só, solitário,
só entre os mortos, para sempre só,
vens voando sem sombra e sem nome,
sem açúcar, sem boca, sem roseiras,
              vens voando.

EL DESENTERRADO

Homenaje al Conde de Villamediana

Cuando la tierra llena de párpados mojados
se haga ceniza y duro aire cernido,
y los terrones secos y las aguas,
los pozos, los metales,
por fin devuelvan sus gastados muertos,
quiero una oreja, un ojo,
un corazón herido dando tumbos,
un hueco de puñal hace ya tiempo hundido
en un cuerpo hace tiempo exterminado y solo,
quiero unas manos, una ciencia de uñas,
una boca de espanto y amapolas muriendo,
quiero ver levantarse del polvo inútil
un ronco árbol de venas sacudidas,
yo quiero de la tierra más amarga,
entre azufre y turquesa y olas rojas
y torbellinos de carbón callado,
quiero una carne despertar sus huesos
aullando llamas,
y un especial olfato correr en busca de algo,
y una vista cegada por la tierra
correr detrás de dos ojos oscuros,
y un oído, de pronto, como una ostra furiosa,
rabiosa, desmedida,
levantarse hacia el trueno,
y un tacto puro, entre sales perdido,
salir tocando pechos y azucenas, de pronto.

O DESENTERRADO

Homenagem ao Conde de Villamediana

Quando a terra cheia de pálpebras molhadas
se fizer cinza e duro ar peneirado,
e os torrões secos e as águas,
os poços, os metais,
por fim devolverem seus gastados mortos,
quero uma orelha, um olho,
um coração ferido levando tombos,
um oco de punhal faz tempo mergulhado
num corpo faz tempo exterminado e só,
quero umas mãos, uma ciência de unhas,
uma boca de espanto e papoulas morrendo,
quero ver levantar-se do pó inútil
uma rouca árvore de veias agitadas,
eu quero da terra mais amarga,
entre enxofre e turquesa e ondas vermelhas
e torvelinhos de carvão calado,
quero uma carne despertar seus ossos
uivando chamas,
e um especial olfato correr em busca de algo,
e uma vista cegada pela terra
correr atrás de dois olhos escuros,
e um ouvido, de súbito, qual uma ostra furiosa,
raivosa, desmedida,
levantar-se para o trovão,
e um tato puro, entre sais perdido,
sair tocando peitos e açucenas, de repente.

Oh día de los muertos! oh distancia hacia donde
la espiga muerta yace con su olor a relámpago,
oh galerías entregando un nido
y un pez y una mejilla y una espada,
todo molido entre las confusiones,
todo sin esperanzas decaído,
todo en la sima seca alimentado
entre los dientes de la tierra dura.

Y la pluma a su pájaro suave,
y la luna a su cinta, y el perfume a su forma,
y, entre las rosas, el desenterrado,
el hombre lleno de algas minerales,
y a sus dos agujeros sus ojos retornando.

Está desnudo,
sus ropas no se encuentran en el polvo
y su armadura rota se ha deslizado al fondo del infierno,
y su barba ha crecido como el aire en otoño,
y hasta su corazón quiere morder manzanas.

Cuelgan de sus rodillas y sus hombros
adherencias de olvido, hebras del suelo,
zonas de vidrio roto y aluminio,
cáscaras de cadáveres amargos,
bolsillos de agua convertida en hierro,
y reuniones de terribles bocas
derramadas y azules,
y ramas de coral acongojado

Oh dia dos mortos! oh distância para onde
a espiga morta jaz com seu odor de relâmpago,
oh galerias entregando um ninho
e um peixe e uma face e uma espada,
tudo moído entre as confusões,
tudo sem esperanças decaído,
tudo no cimo seco alimentado
entre os dentes da terra dura.

É a pluma no seu pássaro suave,
e a lua na sua cinta, e o perfume na sua forma,
e, entre as rosas, o desenterrado,
o homem cheio de algas minerais,
e nos dois buracos seus olhos retornando.

Está nu,
as suas roupas não se encontram no pó
e a sua armadura rota resvalou para o fundo do inferno,
e a sua barba cresceu como a brisa no outono,
e até seu coração quer morder maçãs.

Pendem de seus joelhos e de seus ombros
aderências de olvido, fibras do chão,
zonas de vidro quebrado e alumínio,
cascas de cadáveres amargos,
bolsos de água convertida em ferro,
e reuniões de terríveis bocas
derramadas e azuis,
e ramos de coral aflito

hacen corona a su cabeza verde,
y tristes vegetales fallecidos
y maderas nocturnas le rodean,
y en el aún duermen palomas entreabiertas
con ojos de cemento subterráneo.

Conde dulce, en la niebla,
oh recién despertado de las minas,
oh recién seco del agua sin río,
oh recién sin arañas!

Crujen minutos en tus pies naciendo,
tu sexo asesinado se incorpora,
y levantas la mano en donde vive
todavía el secreto de la espuma.

fazem coroa na sua cabeça verde,
e tristes vegetais falecidos
e madeiras noturnas o rodeiam,
e nele dormem ainda pombas entreabertas
com olhos de cimento subterrâneo.

Conde doce, na névoa.
oh recém-despertado das minas,
oh recém-seco da água sem rio,
oh recém sem aranhas.

Rangem minutos nos teus pés nascendo,
teu sexo assassinado se incorpora,
e levanta a mão onde vive
ainda o segredo da espuma.

VI

EL RELOJ CAÍDO EN EL MAR

Hay tanta luz sombría en el espacio
y tantas dimensiones de súbito amarillas,
porque no cae el viento
ni respiran las hojas.

Es un día domingo detenido en el mar,
un día como un buque sumergido,
una gota de tiempo que asaltan las escamas
ferozmente vestidas de humedad transparente.

Hay meses seriamente acumulados en una vestidura
que queremos oler llorando con los ojos cerrados,
y hay años en un solo ciego signo del agua
depositada y verde,
hay la edad que los dedos ni la luz apresaron,
mucho más estimable que un abanico roto,
mucho más silenciosa que un pie desenterrado,
hay la nupcial edad de los días disueltos
en una triste tumba que los peces recorren.

Los pétalos del tiempo caen inmensamente
como vagos paraguas parecidos al cielo,
creciendo en torno, es apenas
una campana nunca vista,
una rosa inundada, una medusa, un largo
latido quebrantado:
pero no es eso, es algo que toca y gasta apenas,

O RELÓGIO CAÍDO NO MAR

Há TANTA LUZ sombria no espaço
e tantas dimensões de súbito amarelas,
porque não cai o vento
nem respiram as folhas.

É um domingo detido no mar,
um dia como um navio submerso,
uma gota de tempo que assaltam as escamas
ferozmente vestidas de umidade transparente.

Há meses seriamente acumulados numa vestimenta
que queremos cheirar chorando de olhos fechados,
e há anos em um só cego signo da água
depositada e verde,
há a idade que nem os dedos nem a luz apressaram,
muito mais estimável que um leque roto,
muito mais silenciosa que um pé desenterrado,
há a nupcial idade dos dias dissolvidos
num triste túmulo que os peixes percorrem.

As pétalas do tempo caem imensamente
como vagos guarda-chuvas parecidos com o céu,
crescendo em torno, é apenas
um sino nunca visto,
uma rosa inundada, uma medusa, um longo
latejo quebrantado:
mas não é isso, é algo que toca e gasta apenas,

una confusa huella sin sonido ni pájaros,
un desvanecimiento de perfumes y razas.

El reloj que en el campo se tendió sobre el musgo
y golpeó una cadera con su eléctrica forma
corre desvencijado y herido bajo el agua temible
que ondula palpitando de corrientes centrales.

uma confusa pegada sem som e sem pássaros,
um desvanecimento de perfumes e raças.

O relógio que no campo se estendeu sobre o musgo
e golpeou uma anca com sua elétrica forma
corre desatado e ferido debaixo da água temível
que ondula palpitando de correntes centrais.

VUELVE EL OTOÑO

*Un enlutado día cae de las campanas
como una temblorosa tela de vaga viuda,
es un color, un sueño
de cerezas hundidas en la tierra,
es una cola de humo que llega sin descanso
a cambiar el color del agua y de los besos.*

*No sé si me entiende: cuando desde lo alto
se avecina la noche, cuando el solitario poeta
a la ventana oye correr el corcel del otoño
y las hojas del miedo pisoteado crujen en sus arterias
hay algo sobre el cielo, como lengua de buey
espeso, algo en la duda del cielo y de la atmósfera.*

*Vuelven las cosas a su sitio,
el abogado indispensable, las manos, el aceite,
las botellas,
todos los indicios de la vida: las camas, sobre todo,
están llenas de un líquido sangriento,
la gente deposita sus confianzas en sórdidas orejas,
los asesinos bajan escaleras,
pero no es esto, sino el viejo galope,
el caballo del viejo otoño que tiembla y dura.*

*El caballo del viejo otoño tiene la barba roja
y la espuma del miedo le cubre las mejillas
y el aire que le sigue tiene forma de océano
y perfume de vaga podredumbre enterrada.*

VOLTA O OUTONO

*Um enlutado dia cai dos sinos
como trêmula teia de vaga viúva,
é uma cor, um sonho
de cerejas mergulhadas na terra,
é uma cauda de fumaça que chega sem descanso
a trocar a cor da água e dos beijos.*

*Não sei se me entendem: quando do alto
se avizinha a noite, quando o solitário poeta
à janela ouve correr o corcel do outono
e as folhas do medo pisoteado rangem nas suas artérias
há algo sobre o céu, como língua de boi
espesso, algo na dúvida do céu e da atmosfera.*

*Voltam as coisas ao lugar,
o advogado indispensável, as mãos, o azeite,
as garrafas,
todos os indícios da vida: as camas, sobretudo,
estão cheias dum líquido sangrento,
a gente deposita sua confiança em sórdidas orelhas,
os assassinos descem escadas,
mas não é isto, e sim o velho galope,
o cavalo do velho outono que tremula e dura.*

*O cavalo do velho outono tem a barba vermelha
e a espuma do medo lhe cobre as faces
e a aragem que o segue tem forma de oceano
e perfume de vaga podridão enterrada.*

Todos los días baja del cielo un color ceniciento
que las palomas deben repartir por las tierras:
la cuerda que el olvido y las lágrimas tejen,
el tiempo que ha dormido largos años dentro de las
campanas,
todo,
los viejos trajes mordidos, las mujeres que ven venir
la nieve,
las amapolas negras que nadie puede contemplar sin
morir,
todo cae a las manos que levanto
en medio de la lluvia.

*Todos os dias baixa do céu uma cor cinzenta
que as pombas devem repartir pelas terras:
a corda que o esquecimento e as lágrimas tecem,
o tempo que dormiu longos anos dentro dos sinos,
tudo,
os velhos trajes mordidos, as mulheres que olham
        chegar a neve,
as papoulas negras que ninguém pode contemplar sem
        morrer,
tudo cai nas mãos que levanto
no meio da chuva.*

NO HAY OLVIDO
(Sonata)

Si me preguntáis en dónde he estado
debo decir "Sucede".
Debo de hablar del suelo que oscurecen las piedras,
del río que durando se destruye:
no sé sino las cosas que los pájaros pierden,
el mar dejado atrás, o mi hermana llorando.
Por qué tantas regiones, por qué un día
se junta con un día? Por qué una negra noche
se acumula en la boca? Por qué muertos?

Si me preguntáis de dónde vengo, tengo que conversar
        con cosas rotas,
con utensilios demasiado amargos,
con grandes bestias a menudo podridas
y con mi acongojado corazón.

No son recuerdos los que se han cruzado
ni es la paloma amarillenta que duerme en el olvido,
sino caras con lágrimas,
dedos en la garganta,
y lo que se desploma de las hojas:
la oscuridad de un día transcurrido,
de un día alimentado con nuestra triste sangre.

He aquí violetas, golondrinas,
todo cuanto nos gusta y aparece
en las dulces tarjetas de larga cola

NÃO HÁ ESQUECIMENTO
(Sonata)

Se me perguntais onde eu estive
devo dizer: "Acontece".
Devo falar do chão que escurecem as pedras,
do rio que durando se destrói:
não sei mais do que as coisas que os pássaros perdem,
o mar deixado atrás, ou minha irmã chorando.
Por que tantas regiões, por que um dia
se junta com um dia? Por que uma negra noite
se acumula na boca? Por que mortos?

Se me perguntais de onde venho, tenho de conversar
        com coisas rotas,
com utensílios demasiado amargos,
com grandes bestas com frequência podres
e com o meu aflito coração.

Não são as recordações que se cruzaram,
nem é a pomba amarelada que dorme no esquecimento,
e sim caras com lágrimas,
dedos na garganta,
e o que se desmorona das folhas:
a escuridão dum dia transcorrido,
dum dia alimentado de nosso triste sangue.

Eis aqui violetas, andorinhas,
tudo quanto amamos e aparece
nos doces postais de longa cauda

por donde se pasean el tiempo y la dulzura.
Pero no penetremos más allá de esos dientes,
no mordamos las cáscaras que el silencio acumula,
porque no sé qué contestar:
hay tantos muertos,
y tantos malecones que el sol rojo partía,
y tantas cabezas que golpean los buques,
y tantas manos que han encerrado besos,
y tantas cosas que quiero olvidar.

por onde passeiam o tempo e a doçura.
Não penetremos porém além desses dentes,
não mordamos as cascas que o silêncio acumula,
porque não sei o que responder:
há tantos mortos,
e tantos molhes que o sol rubro fendia,
e tantas cabeças que batem nos navios,
e tantas mãos que encerraram beijos,
e tantas coisas que eu quero esquecer.

JOSIE BLISS

Color azul de exterminadas fotografías,
color azul con pétalos y paseos al mar,
nombre definitivo que cae en las semanas
con un golpe de acero que las mata.

Qué vestido, qué primavera cruza,
qué mano sin cesar busca senos, cabezas?
El evidente humo del tiempo cae en vano,
en vano las estaciones,
las despedidas donde cae el humo,
los precipitados acontecimientos que esperan con
                espada:
de pronto hay algo,
como un confuso ataque de pieles rojas,
el horizonte de la sangre tiembla, hay algo,
algo sin duda agita los rosales.

Color azul de párpados que la noche ha lamido,
estrellas de cristal desquiciado, fragmentos
de piel y enredaderas sollozantes,
color que el río cava golpeándose en la arena,
azul que ha preparado las grandes gotas.

Tal vez sigo existiendo en una calle que el aire hace
                llorar
con un determinado lamento lúgubre de tal manera
que todas las mujeres visten de sordo azul:

JOSIE BLISS

Cor azul de exterminadas fotografias,
cor azul com pétalas e passeios ao mar,
nome definitivo que cai nas semanas
com um golpe de aço que as mata.

Que vestido, que primavera cruza,
que mão sem cessar busca seios, cabeças?
O evidente fumo do tempo cai em vão,
em vão as estações,
as despedidas onde cai o fumo,
os precipitados acontecimentos que esperam com
                espada:
de repente há algo,
como um confuso ataque de peles-vermelhas,
o horizonte do sangue tremula, há algo,
algo sem dúvida agita as roseiras.

Cor azul de pálpebras que a noite lambeu,
estrelas de cristal desengonçado, fragmentos
de pele e trepadeiras soluçantes,
cor que o rio cava batendo-se na areia,
azul que preparou as grandes gotas.

Talvez continuo existindo numa rua que a aragem faz
                chorar
com um determinado lamento lúgubre de tal maneira
que todas as mulheres se vestem de surdo azul:

yo existo en ese día repartido,
existo allí como una piedra pisada por un buey,
como un testigo sin duda olvidado.

Color azul de ala de pájaro de olvido,
el mar completamente ha empapado las plumas,
su ácido degradado, su ola de peso pálido
persigue las cosas hacinadas en los rincones del alma,
y en vano el humo golpea las puertas.

Ahí están, ahí están
los besos arrastrados por el polvo junto a un triste navío,
ahí están las sonrisas desaparecidas, los trajes que una
      mano
sacude llamando el alba:
parece que la boca de la muerte no quiere morder
      rostros,
dedos, palabras, ojos:
ahí están otra vez como grandes peces que completan el
      cielo
con su azul material vagamente invencible.

eu existo nesse dia repartido,
existo aí como uma pedra pisada por um boi,
como testemunha sem dúvida esquecida.

Cor azul de asa de pássaro de esquecimento,
o mar completamente empapou as plumas,
seu ácido degradado, sua onda de peso pálido
persegue as coisas amontoadas nos rincões da alma,
e em vão a fumaça golpeia as portas.

Aí estão, aí estão
os beijos arrastados pelo pó junto a um triste navio,
aí estão os sorrisos desaparecidos, as roupas que a
        mão
sacode chamando a aurora:
parece que a boca da morte não quer morder rostos,
dedos, palavras, olhos:
aí estão outra vez como grandes peixes que completam
        o céu
com o seu azul material vagamente invencível.

Coleção L&PM POCKET

500. **Esboço para uma teoria das emoções** – Sartre
501. **Renda básica de cidadania** – Eduardo Suplicy
502(1). **Pílulas para viver melhor** – Dr. Lucchese
503(2). **Pílulas para prolongar a juventude** – Dr. Lucchese
504(3). **Desembarcando o diabetes** – Dr. Lucchese
505(4). **Desembarcando o sedentarismo** – Dr. Fernando Lucchese e Cláudio Castro
506(5). **Desembarcando a hipertensão** – Dr. Lucchese
507(6). **Desembarcando o colesterol** – Dr. Fernando Lucchese e Fernanda Lucchese
508. **Estudos de mulher** – Balzac
509. **O terceiro tira** – Flann O'Brien
510. **100 receitas de aves e ovos** – J. A. P. Machado
511. **Garfield em toneladas de diversão** (5) – Jim Davis
512. **Trem-bala** – Martha Medeiros
513. **Os cães ladram** – Truman Capote
514. **O Kama Sutra de Vatsyayana**
515. **O crime do Padre Amaro** – Eça de Queiroz
516. **Odes de Ricardo Reis** – Fernando Pessoa
517. **O inverno da nossa desesperança** – Steinbeck
518. **Piratas do Tietê (1)** – Laerte
519. **Rê Bordosa: do começo ao fim** – Angeli
520. **O Harlem é escuro** – Chester Himes
522. **Eugénie Grandet** – Balzac
523. **O último magnata** – F. Scott Fitzgerald
524. **Carol** – Patricia Highsmith
525. **100 receitas de patisseria** – Sílvio Lancellotti
527. **Tristessa** – Jack Kerouac
528. **O diamante do tamanho do Ritz** – F. Scott Fitzgerald
529. **As melhores histórias de Sherlock Holmes** – Arthur Conan Doyle
530. **Cartas a um jovem poeta** – Rilke
532. **O misterioso sr. Quin** – Agatha Christie
533. **Os analectos** – Confúcio
536. **Ascensão e queda de César Birotteau** – Balzac
537. **Sexta-feira negra** – David Goodis
538. **Ora bolas – O humor de Mario Quintana** – Juarez Fonseca
539. **Longe daqui aqui mesmo** – Antonio Bivar
540. **É fácil matar** – Agatha Christie
541. **O pai Goriot** – Balzac
542. **Brasil, um país do futuro** – Stefan Zweig
543. **O processo** – Kafka
544. **O melhor de Hagar 4** – Dik Browne
545. **Por que não pediram a Evans?** – Agatha Christie
546. **Fanny Hill** – John Cleland
547. **O gato por dentro** – William S. Burroughs
548. **Sobre a brevidade da vida** – Sêneca
549. **Geraldão (1)** – Glauco
550. **Piratas do Tietê (2)** – Laerte
551. **Pagando o pato** – Ciça
552. **Garfield de bom humor (6)** – Jim Davis
553. **Conhece o Mário? vol.1** – Santiago
554. **Radicci 6** – Iotti
555. **Os subterrâneos** – Jack Kerouac
556(1). **Balzac** – François Taillandier
557(2). **Modigliani** – Christian Parisot
558(3). **Kafka** – Gérard-Georges Lemaire
559(4). **Júlio César** – Joël Schmidt
560. **Receitas da família** – J. A. Pinheiro Machado
561. **Boas maneiras à mesa** – Celia Ribeiro
562(9). **Filhos sadios, pais felizes** – R. Pagnoncelli
563(10). **Fatos & mitos** – Dr. Fernando Lucchese
564. **Ménage à trois** – Paula Taitelbaum
565. **Mulheres!** – David Coimbra
566. **Poemas de Álvaro de Campos** – Fernando Pessoa
567. **Medo e outras histórias** – Stefan Zweig
568. **Snoopy e sua turma (1)** – Schulz
569. **Piadas para sempre (1)** – Visconde da Casa Verde
570. **O alvo móvel** – Ross Macdonald
571. **O melhor do Recruta Zero (2)** – Mort Walker
572. **Um sonho americano** – Norman Mailer
573. **Os broncos também amam** – Angeli
574. **Crônica de um amor louco** – Bukowski
575(5). **Freud** – René Major e Chantal Talagrand
576(6). **Picasso** – Gilles Plazy
577(7). **Gandhi** – Christine Jordis
578. **A tumba** – H. P. Lovecraft
579. **O príncipe e o mendigo** – Mark Twain
580. **Garfield, um charme de gato (7)** – Jim Davis
581. **Ilusões perdidas** – Balzac
582. **Esplendores e misérias das cortesãs** – Balzac
583. **Walter Ego** – Angeli
584. **Striptiras (1)** – Laerte
585. **Fagundes: um puxa-saco de mão cheia** – Laerte
586. **Depois do último trem** – Josué Guimarães
587. **Ricardo III** – Shakespeare
588. **Dona Anja** – Josué Guimarães
589. **24 horas na vida de uma mulher** – Stefan Zweig
591. **Mulher no escuro** – Dashiell Hammett
592. **No que acredito** – Bertrand Russell
593. **Odisseia (1): Telemaquia** – Homero
594. **O cavalo cego** – Josué Guimarães
595. **Henrique V** – Shakespeare
596. **Fabulário geral do delírio cotidiano** – Bukowski
597. **Tiros na noite 1: A mulher do bandido** – Dashiell Hammett
598. **Snoopy em Feliz Dia dos Namorados! (2)** – Schulz
600. **Crime e castigo** – Dostoiévski
601. **Mistério no Caribe** – Agatha Christie
602. **Odisseia (2): Regresso** – Homero
603. **Piadas para sempre (2)** – Visconde da Casa Verde
604. **À sombra do vulcão** – Malcolm Lowry
605(8). **Kerouac** – Yves Buin
606. **E agora são cinzas** – Angeli
607. **As mil e uma noites** – Paulo Caruso
608. **Um assassino entre nós** – Ruth Rendell

609. **Crack-up** – F. Scott Fitzgerald
610. **Do amor** – Stendhal
611. **Cartas do Yage** – William Burroughs e Allen Ginsberg
612. **Striptiras (2)** – Laerte
613. **Henry & June** – Anaïs Nin
614. **A piscina mortal** – Ross Macdonald
615. **Geraldão (2)** – Glauco
616. **Tempo de delicadeza** – A. R. de Sant'Anna
617. **Tiros na noite 2: Medo de tiro** – Dashiell Hammett
618. **Snoopy em Assim é a vida, Charlie Brown! (3)** – Schulz
619. **1954 – Um tiro no coração** – Hélio Silva
620. **Sobre a inspiração poética (Íon)** e ... – Platão
621. **Garfield e seus amigos (8)** – Jim Davis
622. **Odisseia (3): Ítaca** – Homero
623. **A louca matança** – Chester Himes
624. **Factótum** – Bukowski
625. **Guerra e Paz: volume 1** – Tolstói
626. **Guerra e Paz: volume 2** – Tolstói
627. **Guerra e Paz: volume 3** – Tolstói
628. **Guerra e Paz: volume 4** – Tolstói
629.(9).**Shakespeare** – Claude Mourthé
630. **Bem está o que bem acaba** – Shakespeare
631. **O contrato social** – Rousseau
632. **Geração Beat** – Jack Kerouac
633. **Snoopy: É Natal! (4)** – Charles Schulz
634. **Testemunha da acusação** – Agatha Christie
635. **Um elefante no caos** – Millôr Fernandes
636. **Guia de leitura (100 autores que você precisa ler)** – Organização de Léa Masina
637. **Pistoleiros também mandam flores** – David Coimbra
638. **O prazer das palavras** – vol. 1 – Cláudio Moreno
639. **O prazer das palavras** – vol. 2 – Cláudio Moreno
640. **Novíssimo testamento: com Deus e o diabo, a dupla da criação** – Iotti
641. **Literatura Brasileira: modos de usar** – Luís Augusto Fischer
642. **Dicionário de Porto-Alegrês** – Luís A. Fischer
643. **Clô Dias & Noites** – Sérgio Jockymann
644. **Memorial de Isla Negra** – Pablo Neruda
645. **Um homem extraordinário e outras histórias** – Tchékhov
646. **Ana sem terra** – Alcy Cheuiche
647. **Adultérios** – Woody Allen
651. **Snoopy: Posso fazer uma pergunta, professora? (5)** – Charles Schulz
652.(10).**Luís XVI** – Bernard Vincent
653. **O mercador de Veneza** – Shakespeare
654. **Cancioneiro** – Fernando Pessoa
655. **Non-Stop** – Martha Medeiros
656. **Carpinteiros, levantem bem alto a cumeeira & Seymour, uma apresentação** – J.D.Salinger
657. **Ensaios céticos** – Bertrand Russell
658. **O melhor de Hagar 5** – Dik e Chris Browne
659. **Primeiro amor** – Ivan Turguêniev
660. **A trégua** – Mario Benedetti
661. **Um parque de diversões da cabeça** – Lawrence Ferlinghetti
662. **Aprendendo a viver** – Sêneca
663. **Garfield, um gato em apuros (9)** – Jim Davis
664. **Dilbert (1)** – Scott Adams
666. **A imaginação** – Jean-Paul Sartre
667. **O ladrão e os cães** – Naguib Mahfuz
669. **A volta do parafuso** *seguido de* **Daisy Miller** – Henry James
670. **Notas do subsolo** – Dostoiévski
671. **Abobrinhas da Brasilônia** – Glauco
672. **Geraldão (3)** – Glauco
673. **Piadas para sempre (3)** – Visconde da Casa Verde
674. **Duas viagens ao Brasil** – Hans Staden
676. **A arte da guerra** – Maquiavel
677. **Além do bem e do mal** – Nietzsche
678. **O coronel Chabert** *seguido de* **A mulher abandonada** – Balzac
679. **O sorriso de marfim** – Ross Macdonald
680. **100 receitas de pescados** – Sílvio Lancellotti
681. **O juiz e seu carrasco** – Friedrich Dürrenmatt
682. **Noites brancas** – Dostoiévski
683. **Quadras ao gosto popular** – Fernando Pessoa
685. **Kaos** – Millôr Fernandes
686. **A pele de onagro** – Balzac
687. **As ligações perigosas** – Choderlos de Laclos
689. **Os Lusíadas** – Luís Vaz de Camões
690.(11).**Átila** – Éric Deschodt
691. **Um jeito tranquilo de matar** – Chester Himes
692. **A felicidade conjugal** *seguido de* **O diabo** – Tolstói
693. **Viagem de um naturalista ao redor do mundo** – vol. 1 – Charles Darwin
694. **Viagem de um naturalista ao redor do mundo** – vol. 2 – Charles Darwin
695. **Memórias da casa dos mortos** – Dostoiévski
696. **A Celestina** – Fernando de Rojas
697. **Snoopy: Como você é azarado, Charlie Brown! (6)** – Charles Schulz
698. **Dez (quase) amores** – Claudia Tajes
699. **Poirot sempre espera** – Agatha Christie
701. **Apologia de Sócrates** *precedido de* **Êutifron e** *seguido de* **Críton** – Platão
702. **Wood & Stock** – Angeli
703. **Striptiras (3)** – Laerte
704. **Discurso sobre a origem e os fundamentos da desigualdade entre os homens** – Rousseau
705. **Os duelistas** – Joseph Conrad
706. **Dilbert (2)** – Scott Adams
707. **Viver e escrever** (vol. 1) – Edla van Steen
708. **Viver e escrever** (vol. 2) – Edla van Steen
709. **Viver e escrever** (vol. 3) – Edla van Steen
710. **A teia da aranha** – Agatha Christie
711. **O banquete** – Platão
712. **Os belos e malditos** – F. Scott Fitzgerald
713. **Libelo contra a arte moderna** – Salvador Dalí
714. **Akropolis** – Valerio Massimo Manfredi
715. **Devoradores de mortos** – Michael Crichton
716. **Sob o sol da Toscana** – Frances Mayes
717. **Batom na cueca** – Nani
718. **Vida dura** – Claudia Tajes
719. **Carne trêmula** – Ruth Rendell
720. **Cris, a fera** – David Coimbra
721. **O anticristo** – Nietzsche
722. **Como um romance** – Daniel Pennac
723. **Emboscada no Forte Bragg** – Tom Wolfe

724. **Assédio sexual** – Michael Crichton
725. **O espírito do Zen** – Alan W.Watts
726. **Um bonde chamado desejo** – Tennessee Williams
727. **Como gostais** *seguido de* **Conto de inverno** – Shakespeare
728. **Tratado sobre a tolerância** – Voltaire
729. **Snoopy: Doces ou travessuras? (7)** – Charles Schulz
730. **Cardápios do Anonymus Gourmet** – J.A. Pinheiro Machado
731. **100 receitas com lata** – J.A. Pinheiro Machado
732. **Conhece o Mário?** vol.2 – Santiago
733. **Dilbert (3)** – Scott Adams
734. **História de um louco amor** *seguido de* **Passado amor** – Horacio Quiroga
735.(11).**Sexo: muito prazer** – Laura Meyer da Silva
736.(12).**Para entender o adolescente** – Dr. Ronald Pagnoncelli
737.(13).**Desembarcando a tristeza** – Dr. Fernando Lucchese
738. **Poirot e o mistério da arca espanhola & outras histórias** – Agatha Christie
739. **A última legião** – Valerio Massimo Manfredi
741. **Sol nascente** – Michael Crichton
742. **Duzentos ladrões** – Dalton Trevisan
743. **Os devaneios do caminhante solitário** – Rousseau
744. **Garfield, o rei da preguiça (10)** – Jim Davis
745. **Os magnatas** – Charles R. Morris
746. **Pulp** – Charles Bukowski
747. **Enquanto agonizo** – William Faulkner
748. **Aline: viciada em sexo (3)** – Adão Iturrusgarai
749. **A dama do cachorrinho** – Anton Tchékhov
750. **Tito Andrônico** – Shakespeare
751. **Antologia poética** – Anna Akhmátova
752. **O melhor de Hagar 6** – Dik e Chris Browne
753.(12).**Michelangelo** – Nadine Sautel
754. **Dilbert (4)** – Scott Adams
755. **O jardim das cerejeiras** *seguido de* **Tio Vânia** – Tchékhov
756. **Geração Beat** – Claudio Willer
757. **Santos Dumont** – Alcy Cheuiche
758. **Budismo** – Claude B. Levenson
759. **Cleópatra** – Christian-Georges Schwentzel
760. **Revolução Francesa** – Frédéric Bluche, Stéphane Rials e Jean Tulard
761. **A crise de 1929** – Bernard Gazier
762. **Sigmund Freud** – Edson Sousa e Paulo Endo
763. **Império Romano** – Patrick Le Roux
764. **Cruzadas** – Cécile Morrisson
765. **O mistério do Trem Azul** – Agatha Christie
768. **Senso comum** – Thomas Paine
769. **O parque dos dinossauros** – Michael Crichton
770. **Trilogia da paixão** – Goethe
773. **Snoopy: No mundo da lua! (8)** – Charles Schulz
774. **Os Quatro Grandes** – Agatha Christie
775. **Um brinde de cianureto** – Agatha Christie
776. **Súplicas atendidas** – Truman Capote
779. **A viúva imortal** – Millôr Fernandes
780. **Cabala** – Roland Goetschel
781. **Capitalismo** – Claude Jessua
782. **Mitologia grega** – Pierre Grimal
783. **Economia: 100 palavras-chave** – Jean-Paul Betbèza
784. **Marxismo** – Henri Lefebvre
785. **Punição para a inocência** – Agatha Christie
786. **A extravagância do morto** – Agatha Christie
787.(13). **Cézanne** – Bernard Fauconnier
788. **A identidade Bourne** – Robert Ludlum
789. **Da tranquilidade da alma** – Sêneca
790. **Um artista da fome** *seguido de* **Na colônia penal e outras histórias** – Kafka
791. **Histórias de fantasmas** – Charles Dickens
796. **O Uraguai** – Basílio da Gama
797. **A mão misteriosa** – Agatha Christie
798. **Testemunha ocular do crime** – Agatha Christie
799. **Crepúsculo dos ídolos** – Friedrich Nietzsche
802. **O grande golpe** – Dashiell Hammett
803. **Humor barra pesada** – Nani
804. **Vinho** – Jean-François Gautier
805. **Egito Antigo** – Sophie Desplancques
806.(14).**Baudelaire** – Jean-Baptiste Baronian
807. **Caminho da sabedoria, caminho da paz** – Dalai Lama e Felizitas von Schönborn
808. **Senhor e servo e outras histórias** – Tolstói
809. **Os cadernos de Malte Laurids Brigge** – Rilke
810. **Dilbert (5)** – Scott Adams
811. **Big Sur** – Jack Kerouac
812. **Seguindo a correnteza** – Agatha Christie
813. **O álibi** – Sandra Brown
814. **Montanha-russa** – Martha Medeiros
815. **Coisas da vida** – Martha Medeiros
816. **A cantada infalível** *seguido de* **A mulher do centroavante** – David Coimbra
819. **Snoopy: Pausa para a soneca (9)** – Charles Schulz
820. **De pernas pro ar** – Eduardo Galeano
821. **Tragédias gregas** – Pascal Thiercy
822. **Existencialismo** – Jacques Colette
823. **Nietzsche** – Jean Granier
824. **Amar ou depender?** – Walter Riso
825. **Darmapada: A doutrina budista em versos**
826. **J'Accuse...! – a verdade em marcha** – Zola
827. **Os crimes ABC** – Agatha Christie
828. **Um gato entre os pombos** – Agatha Christie
831. **Dicionário de teatro** – Luiz Paulo Vasconcellos
832. **Cartas extraviadas** – Martha Medeiros
833. **A longa viagem de prazer** – J. J. Morosoli
834. **Receitas fáceis** – J. A. Pinheiro Machado
835.(14).**Mais fatos & mitos** – Dr. Fernando Lucchese
836.(15).**Boa viagem!** – Dr. Fernando Lucchese
837. **Aline: Finalmente nua!!!** (4) – Adão Iturrusgarai
838. **Mônica tem uma novidade!** – Mauricio de Sousa
839. **Cebolinha em apuros!** – Mauricio de Sousa
840. **Sócios no crime** – Agatha Christie
841. **Bocas do tempo** – Eduardo Galeano
842. **Orgulho e preconceito** – Jane Austen
843. **Impressionismo** – Dominique Lobstein
844. **Escrita chinesa** – Viviane Alleton
845. **Paris: uma história** – Yvan Combeau
846.(15).**Van Gogh** – David Haziot
848. **Portal do destino** – Agatha Christie
849. **O futuro de uma ilusão** – Freud
850. **O mal-estar na cultura** – Freud
853. **Um crime adormecido** – Agatha Christie
854. **Satori em Paris** – Jack Kerouac
855. **Medo e delírio em Las Vegas** – Hunter Thompson

856. **Um negócio fracassado e outros contos de humor** – Tchékhov
857. **Mônica está de férias!** – Mauricio de Sousa
858. **De quem é esse coelho?** – Mauricio de Sousa
860. **O mistério Sittaford** – Agatha Christie
861. **Manhã transfigurada** – L. A. de Assis Brasil
862. **Alexandre, o Grande** – Pierre Briant
863. **Jesus** – Charles Perrot
864. **Islã** – Paul Balta
865. **Guerra da Secessão** – Farid Ameur
866. **Um rio que vem da Grécia** – Cláudio Moreno
868. **Assassinato na casa do pastor** – Agatha Christie
869. **Manual do líder** – Napoleão Bonaparte
870.(16). **Billie Holiday** – Sylvia Fol
871. **Bidu arrasando!** – Mauricio de Sousa
872. **Os Sousa: Desventuras em família** – Mauricio de Sousa
874. **E no final a morte** – Agatha Christie
875. **Guia prático do Português correto – vol. 4** – Cláudio Moreno
876. **Dilbert (6)** – Scott Adams
877.(17). **Leonardo da Vinci** – Sophie Chauveau
878. **Bella Toscana** – Frances Mayes
879. **A arte da ficção** – David Lodge
880. **Striptiras (4)** – Laerte
881. **Skrotinhos** – Angeli
882. **Depois do funeral** – Agatha Christie
883. **Radicci 7** – Iotti
884. **Walden** – H. D. Thoreau
885. **Lincoln** – Allen C. Guelzo
886. **Primeira Guerra Mundial** – Michael Howard
887. **A linha de sombra** – Joseph Conrad
888. **O amor é um cão dos diabos** – Bukowski
890. **Despertar: uma vida de Buda** – Jack Kerouac
891.(18). **Albert Einstein** – Laurent Seksik
892. **Hell's Angels** – Hunter Thompson
893. **Ausência na primavera** – Agatha Christie
894. **Dilbert (7)** – Scott Adams
895. **Ao sul de lugar nenhum** – Bukowski
896. **Maquiavel** – Quentin Skinner
897. **Sócrates** – C.C.W. Taylor
899. **O Natal de Poirot** – Agatha Christie
900. **As veias abertas da América Latina** – Eduardo Galeano
901. **Snoopy: Sempre alerta! (10)** – Charles Schulz
902. **Chico Bento: Plantando confusão** – Mauricio de Sousa
903. **Penadinho: Quem é morto sempre aparece** – Mauricio de Sousa
904. **A vida sexual da mulher feia** – Claudia Tajes
905. **100 segredos de liquidificador** – José Antonio Pinheiro Machado
906. **Sexo muito prazer 2** – Laura Meyer da Silva
907. **Os nascimentos** – Eduardo Galeano
908. **As caras e as máscaras** – Eduardo Galeano
909. **O século do vento** – Eduardo Galeano
910. **Poirot perde uma cliente** – Agatha Christie
911. **Cérebro** – Michael O'Shea
912. **O escaravelho de ouro e outras histórias** – Edgar Allan Poe
913. **Piadas para sempre (4)** – Visconde da Casa Verde
914. **100 receitas de massas light** – Helena Tonetto
915.(19). **Oscar Wilde** – Daniel Salvatore Schiffer
916. **Uma breve história do mundo** – H. G. Wells
917. **A Casa do Penhasco** – Agatha Christie
919. **John M. Keynes** – Bernard Gazier
920.(20). **Virginia Woolf** – Alexandra Lemasson
921. **Peter e Wendy** *seguido de* **Peter Pan em Kensington Gardens** – J. M. Barrie
922. **Aline: numas de colegial (5)** – Adão Iturrusgarai
923. **Uma dose mortal** – Agatha Christie
924. **Os trabalhos de Hércules** – Agatha Christie
926. **Kant** – Roger Scruton
927. **A inocência do Padre Brown** – G.K. Chesterton
928. **Casa Velha** – Machado de Assis
929. **Marcas de nascença** – Nancy Huston
930. **Aulete de bolso**
931. **Hora Zero** – Agatha Christie
932. **Morte na Mesopotâmia** – Agatha Christie
934. **Nem te conto, João** – Dalton Trevisan
935. **As aventuras de Huckleberry Finn** – Mark Twain
936.(21). **Marilyn Monroe** – Anne Plantagenet
937. **China moderna** – Rana Mitter
938. **Dinossauros** – David Norman
939. **Louca por homem** – Claudia Tajes
940. **Amores de alto risco** – Walter Riso
941. **Jogo de damas** – David Coimbra
942. **Filha é filha** – Agatha Christie
943. **M ou N?** – Agatha Christie
945. **Bidu: diversão em dobro!** – Mauricio de Sousa
946. **Fogo** – Anaïs Nin
947. **Rum: diário de um jornalista bêbado** – Hunter Thompson
948. **Persuasão** – Jane Austen
949. **Lágrimas na chuva** – Sergio Faraco
950. **Mulheres** – Bukowski
951. **Um pressentimento funesto** – Agatha Christie
952. **Cartas na mesa** – Agatha Christie
954. **O lobo do mar** – Jack London
955. **Os gatos** – Patricia Highsmith
956.(22). **Jesus** – Christiane Rancé
957. **História da medicina** – William Bynum
958. **O Morro dos Ventos Uivantes** – Emily Brontë
959. **A filosofia na era trágica dos gregos** – Nietzsche
960. **Os treze problemas** – Agatha Christie
961. **A massagista japonesa** – Moacyr Scliar
963. **Humor do miserê** – Nani
964. **Todo o mundo tem dúvida, inclusive você** – Édison de Oliveira
965. **A dama do Bar Nevada** – Sergio Faraco
969. **O psicopata americano** – Bret Easton Ellis
970. **Ensaios de amor** – Alain de Botton
971. **O grande Gatsby** – F. Scott Fitzgerald
972. **Por que não sou cristão** – Bertrand Russell
973. **A Casa Torta** – Agatha Christie
974. **Encontro com a morte** – Agatha Christie
975.(23). **Rimbaud** – Jean-Baptiste Baronian
976. **Cartas na rua** – Bukowski
977. **Memória** – Jonathan K. Foster
978. **A abadia de Northanger** – Jane Austen
979. **As pernas de Úrsula** – Claudia Tajes

980. **Retrato inacabado** – Agatha Christie
981. **Solanin (1)** – Inio Asano
982. **Solanin (2)** – Inio Asano
983. **Aventuras de menino** – Mitsuru Adachi
984.(16).**Fatos & mitos sobre sua alimentação** – Dr. Fernando Lucchese
985. **Teoria quântica** – John Polkinghorne
986. **O eterno marido** – Fiódor Dostoiévski
987. **Um safado em Dublin** – J. P. Donleavy
988. **Mirinha** – Dalton Trevisan
989. **Akhenaton e Nefertiti** – Carmen Seganfredo e A. S. Franchini
990. **On the Road – o manuscrito original** – Jack Kerouac
991. **Relatividade** – Russell Stannard
992. **Abaixo de zero** – Bret Easton Ellis
993.(24).**Andy Warhol** – Mériam Korichi
995. **Os últimos casos de Miss Marple** – Agatha Christie
996. **Nico Demo: Aí vem encrenca** – Mauricio de Sousa
998. **Rousseau** – Robert Wokler
999. **Noite sem fim** – Agatha Christie
1000. **Diários de Andy Warhol (1)** – Editado por Pat Hackett
1001. **Diários de Andy Warhol (2)** – Editado por Pat Hackett
1002. **Cartier-Bresson: o olhar do século** – Pierre Assouline
1003. **As melhores histórias da mitologia: vol. 1** – A.S. Franchini e Carmen Seganfredo
1004. **As melhores histórias da mitologia: vol. 2** – A.S. Franchini e Carmen Seganfredo
1005. **Assassinato no beco** – Agatha Christie
1006. **Convite para um homicídio** – Agatha Christie
1008. **História da vida** – Michael J. Benton
1009. **Jung** – Anthony Stevens
1010. **Arsène Lupin, ladrão de casaca** – Maurice Leblanc
1011. **Dublinenses** – James Joyce
1012. **120 tirinhas da Turma da Mônica** – Mauricio de Sousa
1013. **Antologia poética** – Fernando Pessoa
1014. **A aventura de um cliente ilustre** *seguido de* **O último adeus de Sherlock Holmes** – Sir Arthur Conan Doyle
1015. **Cenas de Nova York** – Jack Kerouac
1016. **A corista** – Anton Tchékhov
1017. **O diabo** – Leon Tolstói
1018. **Fábulas chinesas** – Sérgio Capparelli e Márcia Schmaltz
1019. **O gato do Brasil** – Sir Arthur Conan Doyle
1020. **Missa do Galo** – Machado de Assis
1021. **O mistério de Marie Rogêt** – Edgar Allan Poe
1022. **A mulher mais linda da cidade** – Bukowski
1023. **O retrato** – Nicolai Gogol
1024. **O conflito** – Agatha Christie
1025. **Os primeiros casos de Poirot** – Agatha Christie
1027.(25).**Beethoven** – Bernard Fauconnier
1028. **Platão** – Julia Annas
1029. **Cleo e Daniel** – Roberto Freire
1030. **Til** – José de Alencar
1031. **Viagens na minha terra** – Almeida Garrett
1032. **Profissões para mulheres e outros artigos feministas** – Virginia Woolf
1033. **Mrs. Dalloway** – Virginia Woolf
1034. **O cão da morte** – Agatha Christie
1035. **Tragédia em três atos** – Agatha Christie
1037. **O fantasma da Ópera** – Gaston Leroux
1038. **Evolução** – Brian e Deborah Charlesworth
1039. **Medida por medida** – Shakespeare
1040. **Razão e sentimento** – Jane Austen
1041. **A obra-prima ignorada** *seguido de* **Um episódio durante o Terror** – Balzac
1042. **A fugitiva** – Anaïs Nin
1043. **As grandes histórias da mitologia greco-romana** – A. S. Franchini
1044. **O corno de si mesmo & outras historietas** – Marquês de Sade
1045. **Da felicidade** *seguido de* **Da vida retirada** – Sêneca
1046. **O horror em Red Hook e outras histórias** – H. P. Lovecraft
1047. **Noite em claro** – Martha Medeiros
1048. **Poemas clássicos chineses** – Li Bai, Du Fu e Wang Wei
1049. **A terceira moça** – Agatha Christie
1050. **Um destino ignorado** – Agatha Christie
1051.(26).**Buda** – Sophie Royer
1052. **Guerra Fria** – Robert J. McMahon
1053. **Simons's Cat: as aventuras de um gato travesso e comilão – vol. 1** – Simon Tofield
1054. **Simons's Cat: as aventuras de um gato travesso e comilão – vol. 2** – Simon Tofield
1055. **Só as mulheres e as baratas sobreviverão** – Claudia Tajes
1057. **Pré-história** – Chris Gosden
1058. **Pintou sujeira!** – Mauricio de Sousa
1059. **Contos de Mamãe Gansa** – Charles Perrault
1060. **A interpretação dos sonhos: vol. 1** – Freud
1061. **A interpretação dos sonhos: vol. 2** – Freud
1062. **Frufru Rataplã Dolores** – Dalton Trevisan
1063. **As melhores histórias da mitologia egípcia** – Carmem Seganfredo e A.S. Franchini
1064. **Infância. Adolescência. Juventude** – Tolstói
1065. **As consolações da filosofia** – Alain de Botton
1066. **Diários de Jack Kerouac – 1947-1954**
1067. **Revolução Francesa – vol. 1** – Max Gallo
1068. **Revolução Francesa – vol. 2** – Max Gallo
1069. **O detetive Parker Pyne** – Agatha Christie
1070. **Memórias do esquecimento** – Flávio Tavares
1071. **Drogas** – Leslie Iversen
1072. **Manual de ecologia (vol.2)** – J. Lutzenberger
1073. **Como andar no labirinto** – Affonso Romano de Sant'Anna
1074. **A orquídea e o serial killer** – Juremir Machado da Silva
1075. **Amor nos tempos de fúria** – Lawrence Ferlinghetti
1076. **A aventura do pudim de Natal** – Agatha Christie
1078. **Amores que matam** – Patricia Faur
1079. **Histórias de pescador** – Mauricio de Sousa
1080. **Pedaços de um caderno manchado de vinho** – Bukowski

1081. **A ferro e fogo: tempo de solidão (vol.1)** – Josué Guimarães
1082. **A ferro e fogo: tempo de guerra (vol.2)** – Josué Guimarães
1084. (17).**Desembarcando o Alzheimer** – Dr. Fernando Lucchese e Dra. Ana Hartmann
1085. **A maldição do espelho** – Agatha Christie
1086. **Uma breve história da filosofia** – Nigel Warburton
1088. **Heróis da História** – Will Durant
1089. **Concerto campestre** – L. A. de Assis Brasil
1090. **Morte nas nuvens** – Agatha Christie
1092. **Aventura em Bagdá** – Agatha Christie
1093. **O cavalo amarelo** – Agatha Christie
1094. **O método de interpretação dos sonhos** – Freud
1095. **Sonetos de amor e desamor** – Vários
1096. **120 tirinhas do Dilbert** – Scott Adams
1097. **200 fábulas de Esopo**
1098. **O curioso caso de Benjamin Button** – F. Scott Fitzgerald
1099. **Piadas para sempre: uma antologia para morrer de rir** – Visconde da Casa Verde
1100. **Hamlet (Mangá)** – Shakespeare
1101. **A arte da guerra (Mangá)** – Sun Tzu
1104. **As melhores histórias da Bíblia (vol.1)** – A. S. Franchini e Carmen Seganfredo
1105. **As melhores histórias da Bíblia (vol.2)** – A. S. Franchini e Carmen Seganfredo
1106. **Psicologia das massas e análise do eu** – Freud
1107. **Guerra Civil Espanhola** – Helen Graham
1108. **A autoestrada do sul e outras histórias** – Julio Cortázar
1109. **O mistério dos sete relógios** – Agatha Christie
1110. **Peanuts: Ninguém gosta de mim... (amor)** – Charles Schulz
1111. **Cadê o bolo?** – Mauricio de Sousa
1112. **O filósofo ignorante** – Voltaire
1113. **Totem e tabu** – Freud
1114. **Filosofia pré-socrática** – Catherine Osborne
1115. **Desejo de status** – Alain de Botton
1118. **Passageiro para Frankfurt** – Agatha Christie
1120. **Kill All Enemies** – Melvin Burgess
1121. **A morte da sra. McGinty** – Agatha Christie
1122. **Revolução Russa** – S. A. Smith
1123. **Até você, Capitu?** – Dalton Trevisan
1124. **O grande Gatsby (Mangá)** – F. S. Fitzgerald
1125. **Assim falou Zaratustra (Mangá)** – Nietzsche
1126. **Peanuts: É para isso que servem os amigos (amizade)** – Charles Schulz
1127. (27).**Nietzsche** – Dorian Astor
1128. **Bidu: Hora do banho** – Mauricio de Sousa
1129. **O melhor do Macanudo Taurino** – Santiago
1130. **Radicci 30 anos** – Iotti
1131. **Show de sabores** – J.A. Pinheiro Machado
1132. **O prazer das palavras** – vol. 3 – Cláudio Moreno
1133. **Morte na praia** – Agatha Christie
1134. **O fardo** – Agatha Christie
1135. **Manifesto do Partido Comunista (Mangá)** – Marx & Engels
1136. **A metamorfose (Mangá)** – Franz Kafka
1137. **Por que você não se casou... ainda** – Tracy McMillan
1138. **Textos autobiográficos** – Bukowski
1139. **A importância de ser prudente** – Oscar Wilde
1140. **Sobre a vontade na natureza** – Arthur Schopenhauer
1141. **Dilbert (8)** – Scott Adams
1142. **Entre dois amores** – Agatha Christie
1143. **Cipreste triste** – Agatha Christie
1144. **Alguém viu uma assombração?** – Mauricio de Sousa
1145. **Mandela** – Elleke Boehmer
1146. **Retrato do artista quando jovem** – James Joyce
1147. **Zadig ou o destino** – Voltaire
1148. **O contrato social (Mangá)** – J.-J. Rousseau
1149. **Garfield fenomenal** – Jim Davis
1150. **A queda da América** – Allen Ginsberg
1151. **Música na noite & outros ensaios** – Aldous Huxley
1152. **Poesias inéditas & Poemas dramáticos** – Fernando Pessoa
1153. **Peanuts: Felicidade é...** – Charles M. Schulz
1154. **Mate-me por favor** – Legs McNeil e Gillian McCain
1155. **Assassinato no Expresso Oriente** – Agatha Christie
1156. **Um punhado de centeio** – Agatha Christie
1157. **A interpretação dos sonhos (Mangá)** – Freud
1158. **Peanuts: Você não entende o sentido da vida** – Charles M. Schulz
1159. **A dinastia Rothschild** – Herbert R. Lottman
1160. **A Mansão Hollow** – Agatha Christie
1161. **Nas montanhas da loucura** – H.P. Lovecraft
1162. (28).**Napoleão Bonaparte** – Pascale Fautrier
1163. **Um corpo na biblioteca** – Agatha Christie
1164. **Inovação** – Mark Dodgson e David Gann
1165. **O que toda mulher deve saber sobre os homens: a afetividade masculina** – Walter Riso
1166. **O amor está no ar** – Mauricio de Sousa
1167. **Testemunha de acusação & outras histórias** – Agatha Christie
1168. **Etiqueta de bolso** – Celia Ribeiro
1169. **Poesia reunida (volume 3)** – Affonso Romano de Sant'Anna
1170. **Emma** – Jane Austen
1171. **Que seja em segredo** – Ana Miranda
1172. **Garfield sem apetite** – Jim Davis
1173. **Garfield: Foi mal...** – Jim Davis
1174. **Os irmãos Karamázov (Mangá)** – Dostoiévski
1175. **O Pequeno Príncipe** – Antoine de Saint-Exupéry
1176. **Peanuts: Ninguém mais tem o espírito aventureiro** – Charles M. Schulz
1177. **Assim falou Zaratustra** – Nietzsche
1178. **Morte no Nilo** – Agatha Christie
1179. **Ê, soneca boa** – Mauricio de Sousa
1180. **Garfield a todo o vapor** – Jim Davis
1181. **Em busca do tempo perdido (Mangá)** – Proust
1182. **Cai o pano: o último caso de Poirot** – Agatha Christie
1183. **Livro para colorir e relaxar** – Livro 1
1184. **Para colorir sem parar**
1185. **Os elefantes não esquecem** – Agatha Christie
1186. **Teoria da relatividade** – Albert Einstein

1187. Compêndio da psicanálise – Freud
1188. Visões de Gerard – Jack Kerouac
1189. Fim de verão – Mohiro Kitoh
1190. Procurando diversão – Mauricio de Sousa
1191. E não sobrou nenhum e outras peças – Agatha Christie
1192. Ansiedade – Daniel Freeman & Jason Freeman
1193. Garfield: pausa para o almoço – Jim Davis
1194. Contos do dia e da noite – Guy de Maupassant
1195. O melhor de Hagar 7 – Dik Browne
1196(29). Lou Andreas-Salomé – Dorian Astor
1197(30). Pasolini – René de Ceccatty
1198. O caso do Hotel Bertram – Agatha Christie
1199. Crônicas de motel – Sam Shepard
1200. Pequena filosofia da paz interior – Catherine Rambert
1201. Os sertões – Euclides da Cunha
1202. Treze à mesa – Agatha Christie
1203. Bíblia – John Riches
1204. Anjos – David Albert Jones
1205. As tirinhas do Guri de Uruguaiana 1 – Jair Kobe
1206. Entre aspas (vol.1) – Fernando Eichenberg
1207. Escrita – Andrew Robinson
1208. O spleen de Paris: pequenos poemas em prosa – Charles Baudelaire
1209. Satíricon – Petrônio
1210. O avarento – Molière
1211. Queimando na água, afogando-se na chama – Bukowski
1212. Miscelânea septuagenária: contos e poemas – Bukowski
1213. Que filosofar é aprender a morrer e outros ensaios – Montaigne
1214. Da amizade e outros ensaios – Montaigne
1215. O medo à espreita e outras histórias – H.P. Lovecraft
1216. A obra de arte na era de sua reprodutibilidade técnica – Walter Benjamin
1217. Sobre a liberdade – John Stuart Mill
1218. O segredo de Chimneys – Agatha Christie
1219. Morte na rua Hickory – Agatha Christie
1220. Ulisses (Mangá) – James Joyce
1221. Ateísmo – Julian Baggini
1222. Os melhores contos de Katherine Mansfield – Katherine Mansfield
1223(31). Martin Luther King – Alain Foix
1224. Millôr Definitivo: uma antologia de *A Bíblia do Caos* – Millôr Fernandes
1225. O Clube das Terças-Feiras e outras histórias – Agatha Christie
1226. Por que sou tão sábio – Nietzsche
1227. Sobre a mentira – Platão
1228. Sobre a leitura *seguido do* Depoimento de Céleste Albaret – Proust
1229. O homem do terno marrom – Agatha Christie
1230(32). Jimi Hendrix – Franck Médioni
1231. Amor e amizade e outras histórias – Jane Austen
1232. Lady Susan, Os Watson e Sanditon – Jane Austen
1233. Uma breve história da ciência – William Bynum
1234. Macunaíma: o herói sem nenhum caráter – Mário de Andrade
1235. A máquina do tempo – H.G. Wells
1236. O homem invisível – H.G. Wells
1237. Os 36 estratagemas: manual secreto da arte da guerra – Anônimo
1238. A mina de ouro e outras histórias – Agatha Christie
1239. Pic – Jack Kerouac
1240. O habitante da escuridão e outros contos – H.P. Lovecraft
1241. O chamado de Cthulhu e outros contos – H.P. Lovecraft
1242. O melhor de Meu reino por um cavalo! – Edição de Ivan Pinheiro Machado
1243. A guerra dos mundos – H.G. Wells
1244. O caso da criada perfeita e outras histórias – Agatha Christie
1245. Morte por afogamento e outras histórias – Agatha Christie
1246. Assassinato no Comitê Central – Manuel Vázquez Montalbán
1247. O papai é pop – Marcos Piangers
1248. O papai é pop 2 – Marcos Piangers
1249. A mamãe é rock – Ana Cardoso
1250. Paris boêmia – Dan Franck
1251. Paris libertária – Dan Franck
1252. Paris ocupada – Dan Franck
1253. Uma anedota infame – Dostoiévski
1254. O último dia de um condenado – Victor Hugo
1255. Nem só de caviar vive o homem – J.M. Simmel
1256. Amanhã é outro dia – J.M. Simmel
1257. Mulherzinhas – Louisa May Alcott
1258. Reforma Protestante – Peter Marshall
1259. História econômica global – Robert C. Allen
1260(33). Che Guevara – Alain Foix
1261. Câncer – Nicholas James
1262. Akhenaton – Agatha Christie
1263. Aforismos para a sabedoria de vida – Arthur Schopenhauer
1264. Uma história do mundo – David Coimbra
1265. Ame e não sofra – Walter Riso
1266. Desapegue-se! – Walter Riso
1267. Os Sousa: Uma família do barulho – Mauricio de Sousa
1268. Nico Demo: O rei da travessura – Mauricio de Sousa
1269. Testemunha de acusação e outras peças – Agatha Christie
1270(34). Dostoiévski – Virgil Tanase
1271. O melhor de Hagar 8 – Dik Browne
1272. O melhor de Hagar 9 – Dik Browne
1273. O melhor de Hagar 10 – Dik e Chris Browne
1274. Considerações sobre o governo representativo – John Stuart Mill
1275. O homem Moisés e a religião monoteísta – Freud
1276. Inibição, sintoma e medo – Freud

1277. **Além do princípio de prazer** – Freud
1278. **O direito de dizer não!** – Walter Riso
1279. **A arte de ser flexível** – Walter Riso
1280. **Casados e descasados** – August Strindberg
1281. **Da Terra à Lua** – Júlio Verne
1282. **Minhas galerias e meus pintores** – Kahnweiler
1283. **A arte do romance** – Virginia Woolf
1284. **Teatro completo v. 1: As aves da noite** *seguido de* **O visitante** – Hilda Hilst
1285. **Teatro completo v. 2: O verdugo** *seguido de* **A morte do patriarca** – Hilda Hilst
1286. **Teatro completo v. 3: O rato no muro** *seguido de* **Auto da barca de Camiri** – Hilda Hilst
1287. **Teatro completo v. 4: A empresa** *seguido de* **O novo sistema** – Hilda Hilst
1289. **Fora de mim** – Martha Medeiros
1290. **Divã** – Martha Medeiros
1291. **Sobre a genealogia da moral: um escrito polêmico** – Nietzsche
1292. **A consciência de Zeno** – Italo Svevo
1293. **Células-tronco** – Jonathan Slack
1294. **O fim do ciúme e outros contos** – Proust
1295. **A jangada** – Júlio Verne
1296. **A ilha do dr. Moreau** – H.G. Wells
1297. **Ninho de fidalgos** – Ivan Turguêniev
1298. **Jane Eyre** – Charlotte Brontë
1299. **Sobre gatos** – Bukowski
1300. **Sobre o amor** – Bukowski
1301. **Escrever para não enlouquecer** – Bukowski
1302. **222 receitas** – J. A. Pinheiro Machado
1303. **Reinações de Narizinho** – Monteiro Lobato
1304. **O Saci** – Monteiro Lobato
1305. **Memórias da Emília** – Monteiro Lobato
1306. **O Picapau Amarelo** – Monteiro Lobato
1307. **A reforma da Natureza** – Monteiro Lobato
1308. **Fábulas** *seguido de* **Histórias diversas** – Monteiro Lobato
1309. **Aventuras de Hans Staden** – Monteiro Lobato
1310. **Peter Pan** – Monteiro Lobato
1311. **Dom Quixote das crianças** – Monteiro Lobato
1312. **O Minotauro** – Monteiro Lobato
1313. **Um quarto só seu** – Virginia Woolf
1314. **Sonetos** – Shakespeare
1315.(35). **Thoreau** – Marie Berthoumieu e Laura El Makki
1316. **Teoria da arte** – Cynthia Freeland
1317. **A arte da prudência** – Baltasar Gracián
1318. **O louco** *seguido de* **Areia e espuma** – Khalil Gibran
1319. **O profeta** *seguido de* **O jardim do profeta** – Khalil Gibran
1320. **Jesus, o Filho do Homem** – Khalil Gibran
1321. **A luta** – Norman Mailer
1322. **Sobre o sofrimento do mundo e outros ensaios** – Schopenhauer
1323. **Epidemiologia** – Rodolfo Sacacci
1324. **Japão moderno** – Christopher Goto-Jones
1325. **A arte da meditação** – Matthieu Ricard
1326. **O adversário secreto** – Agatha Christie
1327. **Pollyanna** – Eleanor H. Porter
1328. **Espelhos** – Eduardo Galeano
1329. **A Vênus das peles** – Sacher-Masoch
1330. **O 18 de brumário de Luís Bonaparte** – Karl Marx
1331. **Um jogo para os vivos** – Patricia Highsmith
1332. **A tristeza pode esperar** – J.J. Camargo
1333. **Vinte poemas de amor e uma canção desesperada** – Pablo Neruda
1334. **Judaísmo** – Norman Solomon
1335. **Esquizofrenia** – Christopher Frith & Eve Johnstone
1336. **Seis personagens em busca de um autor** – Luigi Pirandello
1337. **A Fazenda dos Animais** – George Orwell
1338. **1984** – George Orwell
1339. **Ubu Rei** – Alfred Jarry
1340. **Sobre bêbados e bebidas** – Bukowski
1341. **Tempestade para os vivos e para os mortos** – Bukowski
1342. **Complicado** – Natsume Ono
1343. **Sobre o livre-arbítrio** – Schopenhauer
1344. **Uma breve história da literatura** – John Sutherland
1345. **Você fica tão sozinho às vezes que até faz sentido** – Bukowski
1346. **Um apartamento em Paris** – Guillaume Musso
1347. **Receitas fáceis e saborosas** – José Antonio Pinheiro Machado
1348. **Por que engordamos** – Gary Taubes
1349. **A fabulosa história do hospital** – Jean-Noël Fabiani
1350. **Voo noturno** *seguido de* **Terra dos homens** – Antoine de Saint-Exupéry
1351. **Doutor Sax** – Jack Kerouac
1352. **O livro do Tao e da virtude** – Lao-Tsé
1353. **Pista negra** – Antonio Manzini
1354. **A chave de vidro** – Dashiell Hammett
1355. **Martin Eden** – Jack London
1356. **Já te disse adeus, e agora, como te esqueço?** – Walter Riso
1357. **A viagem do descobrimento** – Eduardo Bueno
1358. **Náufragos, traficantes e degredados** – Eduardo Bueno
1359. **Retrato do Brasil** – Paulo Prado
1360. **Maravilhosamente imperfeito, escandalosamente feliz** – Walter Riso
1361. **É...** – Millôr Fernandes
1362. **Duas tábuas e uma paixão** – Millôr Fernandes
1363. **Selma e Sinatra** – Martha Medeiros
1364. **Tudo que eu queria te dizer** – Martha Medeiros
1365. **Várias histórias** – Machado de Assis
1366. **A sabedoria do Padre Brown** – G. K. Chesterton
1367. **Capitães do Brasil** – Eduardo Bueno
1368. **O falcão maltês** – Dashiell Hammett
1369. **A arte de estar com a razão** – Arthur Schopenhauer
1370. **A visão dos vencidos** – Miguel León-Portilla

lepmeditores
www.lpm.com.br
o site que conta tudo

IMPRESSÃO:

PALLOTTI
GRÁFICA

Santa Maria - RS | Fone: (55) 3220.4500
www.graficapallotti.com.br